Journal d'un Ti-Mé

DU MÊME AUTEUR

Appelez-moi Stéphane (en collaboration avec Louis Saia), Leméac, 1981

Les Voisins (en collaboration avec Louis Saia), Leméac, 1982

Le Monde de La Petite Vie, Leméac, 1998

CLAUDE MEUNIER

Journal d'un Ti-Mé

propos et réflexions

LEMÉAC

Données de catalogage avant publication (Canada)

Meunier, Claude, 1951-

Journal d'un Ti-Mé : propos et réflexions

ISBN 2-7609-9446-5

1. Meunier, Claude, 1951- – Personnages – Ti-Mé. 2. Ti-Mé (Personnage fictif). 3. Petite vie (Émission de télévision). I. Titre

PN1992.77.P47M482 2000 791.45'.54 C00-941526-2

Photo de couverture : Michel Tremblay

Conception graphique de la couverture : Stéphane Gaulin

Tous les dessins sont de Claude Meunier

Nous remercions le Conseil des arts du Canada de l'aide accordée à notre programme de publication, ainsi que la SODEC pour son soutien à l'édition.

ISBN 2-7609-9446-5

1124, rue Marie-Anne Est, Montréal (Québec) H2J 2B7
Dépôt légal – Bibliothèque nationale du Québec, 2e trimestre 2000

Imprimé au Canada

À Marcel et à ses collègues du 2e étage

Aussi à Marie-Claude, Juliette et Lily

Merci à Pierre Filion,
chaman littéraire de Ti-Mé

Mot de bienvenue

Je commence aujourd'hui ce journal personnel qui, je l'espère, répondra une fois pour toutes aux grandes questions que se pose l'humanité, cette grosse inquiète.

Je ne prétends pas ici prendre la place de Socrate, le philosophe de l'Antiquité – devenue aujourd'hui la Grèce, je crois –, ni celle d'Edgar Bolduc, un ami à moi qui avait pour son dire que « l'important dans la vie, c'est de se réveiller le matin ». Philosophie simple et qui, à mon sens, résume bien l'état d'esprit avec lequel il faut aborder cet ouvrage aride, mais humide par moments.

Vous trouverez donc dans le désordre de ces quelques pages des pensées parfois réfléchies, souvent spontanées et qui ont été écrites, si on additionne le tout, sur une période de temps de presque deux heures.

J'ai opté, au moment de coucher mes mots sur la feuille, pour un style court et concis, avec lourdeur occasionnelle pour les gens érudits, en faisant un effort afin d'utiliser équitablement consonnes et voyelles, même si je suis un compulsif des lettre O et F. Je ne prétends pas ici être un Balzac ou une Madame Bovary, mais eux non plus ne peuvent prétendre être un Paré ou une Jaqueline !

Bonne lecture, donc, et si jamais l'Académie française souhaitait me contacter, je la prie de se manifester par l'entremise de Roger Lefebvre, département des pneus au Canadian Tire de Montréal-Nord, qui s'est offert comme agent littéraire.

Merci.

Aimé

Bonheur et philosophie

Certaines personnes semblent fascinées ou obsédées par la notion de bonheur. Selon moi, il ne faut pas devenir fou avec ce mot. Personnellement, je préfère le sommeil au bonheur. D'ailleurs, les deux ont le même effet : ils nous relaxent. Il faut également réaliser que le bonheur réside dans une foule de petites choses parfois en vente chez Capitaine Muffler ou le quincaillier du coin.

C'est comme ceux qui prétendent à travers leur couvre-chef que le bonheur n'a pas de prix. Au contraire, il a même différents prix. Exemples : le « Bug Killer » à 8,95 $, un insecticide anti-bibittes qui vous garantit des heures de joie. Et que dire du « Wheat Eater », le mangeur de mauvaises herbes à seulement 29,95 $, tellement agréable à manœuvrer qu'il aurait rendu le sourire à Anne Frank ? Autre exemple de bonheur à prix modique ? Avez-vous déjà vu quelqu'un brailler ou déprimer en mangeant une poutine vendue au prix ridicule de 2,25 $ environ ? En passant, pas besoin de suivre un cours de philosophie pour se payer une poutine.

Plusieurs personnes passent leur vie à réfléchir au bonheur. Il y a même des professeurs de philosophie qui sont payés pour le faire ! Que de gaspillage !

Même chose avec ceux qui n'arrêtent pas de nous parler du Kosovo, du Rwanda ou de la tuberculose. Effectivement, la tuberculose est une maladie affreuse et la guerre entre le Kosovo et le Rwanda est épouvantable. Mais quand nous parle-t-on de la Norvège ou de Hull ? Si on nous présentait des scènes bucoliques de la campagne norvégienne au téléjournal au lieu de nous bombarder avec la Bosnie, peut-être finirions-nous par oublier ce qui se passe au Rwanda et ainsi dormir sur nos deux oreilles. À quoi bon nous empêcher de dormir avec des images aussi terribles ? Est-ce que de nous empêcher de dormir aide à mettre fin à la guerre là-bas ?

J'en entends qui diront oui, probablement ceux qui disent que la vie est ridicule ou absurde, comme Robert Camus ou Kafeka, des philosophes qui espèrent se rendre célèbres en déprimant le monde mais qui oublient de fermer la lumière lorsqu'ils sortent d'une pièce. Il y a aussi ce Karl Marx, qui disait que la religion est de l'opium ! Franchement ! Aussi bien traiter le pape de pusher, un coup parti ! Non mais, ça va faire, monsieur Marx.

J'aimais mieux votre frère Groucho, qui était peut-être moins songé, mais qui au moins nous faisait rire pour les bonnes raisons.

Note : Le bonheur est aussi injuste que le malheur : il peut frapper n'importe qui.

Enfance et nativité

J'ai eu une enfance heureuse et difficile.

Heureuse surtout parce que, étant très doué intellectuellement, je faisais la joie et les délices de mon entourage ; et difficile parce que, surdoué, rien n'arrivait à satisfaire mon appétit intellectuel.

D'où vient le vent ? Où vont les mouches ? Où est l'univers ? Pourquoi Dieu a-t-il une barbe comme moi j'en aurai une plus tard ? Toutes des questions auxquelles je répondais en moins de deux, me gardant du temps pour écouter la radio, observer mon père m'engueuler ou disséquer de la biologie. Car j'étais fasciné par les grenouilles que je disséquais d'abord à coups de deux par quatre, et plus tard avec une barre à clous.

J'étais également passionné par la biophysionomie de Colette, une petite voisine à qui j'ai offert le rapport écrit de toutes mes dissections et une centaine de cuisses de grenouilles crues, mais qui a préféré le french kiss de Normand Pouliot, un grand tarla spécialisé dans l'acné et qui a fini médecin ou boucher.

À l'école, par contre, j'étais fort discret intellectuellement, très différent de ces prétentieux qui, pour s'attirer des flatteries, pètent des scores.

Plus vieux, vers mes neuf ans, j'ai failli devenir moine franciscain, car j'étais très attiré par la barbe et par le goût de l'aventure. Je me voyais missionnaire à Laval ou à Saint-Lambert. Comme les seules places de missionnaire disponibles étaient en Afrique ou au Sénégal, j'ai opté pour le métier de quincaillier. Mais ce goût de l'aventure pour le large, surtout pour Chomedey à Laval, ne m'a jamais quitté.

Cela dit, je suis né le premier et le dernier de mes frères et sœurs, car maman a fait six fausses couches à part moi.

Enfant unique, je me souviens très peu de ma naissance, sinon que j'ai failli naître seul, car papa, convaincu que maman ferait une autre fausse couche, l'avait déposée à l'hôpital avant de partir en voyage de pêche. Heureusement que maman est restée avec moi à l'hôpital, autrement je serais né vraiment tout seul.

Papa travaillait dans l'univers de l'assurance. C'était un excellent vendeur. Il a même réussi à me vendre une police d'assurance-vie le jour de ma première communion, en me faisant miroiter le danger de tomber par la fenêtre de ma chambre en dormant ou celui de recevoir le plafond de ma classe sur la tête.

Papa me parlait sans arrêt et avec raison du danger de jouer dehors l'hiver, danger de me faire broyer par la souffleuse et de me faire recracher sous forme de macaroni dans un banc de neige. Ces quelques conseils m'ont aidé à faire des cauchemars durant toute mon enfance, et ce, même éveillé et sans avoir à manger des chops de porc avant d'aller au lit.

Par-dessus tout, papa était d'une grande bonté. Il m'a hébergé chez lui gratuitement jusqu'à l'âge de neuf ans et m'a obligé par la suite à lui verser une pension ridicule d'à peine deux dollars par jour.

Il riait peu et, quand il devait le faire, s'organisait pour être à l'extérieur de la maison.

Il a surtout été un professeur d'art oratoire exceptionnel : il m'engueulait de façon magistrale, s'attirant les applaudissements nourris des voisins ou de maman et parfois même les miens.

Il était juste et ponctuel dans sa sévérité, m'engueulant toujours à la même heure de la nuit, avec une intensité et un plaisir sans cesse accrus. J'entends encore le son de sa voix, on aurait dit le capitaine du *Titanic* en train d'engueuler son iceberg pour le faire fondre.

Il était sévère mais juste, juste sévère en fait. Lorsque son petit bras épais partait d'un coup sec pour me sacrer une taloche, c'était la plupart du temps parce que j'avais couru après, soit en ouvrant une porte trop rapidement, soit pour avoir attrapé la grippe sans raison.

Maman, elle, était très discrète comme mère, fascinée par les bigoudis et ses chocolats qu'elle n'avait pas le droit de partager, je n'ai jamais su pourquoi. Elle n'était pas du genre « téteuse » à m'embrasser pour des niaiseries. Comme elle aimait me le répéter lorsque je venais pour le faire : « Un beau bec à Noël, pis peut-être un à Pâques, y a pas de danger que tu revires moumoune avec ça. »

Merci, maman.

Nous nous bidonnions beaucoup à l'heure des repas, même si j'avais parfois de la difficulté à comprendre les blagues que mon père lançait à maman, car je mangeais généralement seul dans ma chambre, « pour que le plafond de la cuisine ne te tombe pas sur la tête », me criait papa de la cuisine. Et maman riait et riait encore.

Certains diront que j'ai manqué de père et de mère. Personnellement, je suis bien content de ne pas en avoir eu davantage.

Papa est mort alors que j'avais douze ou vingt-trois ans, je ne me souviens plus très bien.

Ma femme

J'ai rencontré Moman, la femme qui devait m'épouser, lors d'un concours de circonstances : je l'avais arrosée en stationnant ma voiture dans une flaque d'eau et elle m'avait engueulé de son mieux. J'étais alors sorti de l'auto pour lui demander d'articuler davantage, car j'avais de la difficulté à l'entendre tellement je riais. Sa moue m'émut, mais lorsque je voulus lui donner mon numéro de téléphone pour m'excuser, elle était déjà rendue deux coins de rue plus loin.

Je la revis deux mois plus tard dans un party costumé en l'honneur de l'Halloween. J'étais déguisé en poêle à steak et elle en livre de beurre. Je compris illico que nous étions faits l'un pour l'autre même si un dénommé Pogo, déguisé en beurrier, la dévorait de l'œil.

Je l'invitai à danser un slow. Elle accepta. Comme j'ignorais son prénom, je simulai une question :

— Voulez-vous m'épouser, ma cocotte ? lui demandai-je.

— M'as t'en faire une cocotte, moi, c'est Jaqueline mon nom ! répondit-elle en sortant de ses gonds et du salon.

Ce soir-là, mon chien est mort mais je réussis à le ressusciter.

Combien de chiens au fait ressuscite-t-on au cours de notre vie de couple ?

Quelques jours plus tard, feignant d'être inspecteur municipal pour la grippe espagnole, je sonnai à sa demeure sous prétexte de lui inspecter les poumons au nom de la Ville de Montréal. Elle n'y vit que du feu et accepta même de me tousser au visage. Vingt minutes plus tard, je la faisais entrer frauduleusement à l'hôpital Saint-Luc où je la courtisai pendant six semaines assidues, à tel point qu'elle dut m'épouser.

Ce qui la séduisit le plus en moi fut sans doute mon grand sens de la psychologie féminine. Je « devine » la femme comme d'autres devinent la température ou la 6/49.

Personnellement, je préférerais deviner la 6/49.

QUINCAILLIER

J'ai travaillé vingt ans comme quincaillier au service des pièces de la Ville de Montréal, j'étais en quelque sorte le quincaillier de la ville, et par la suite j'ai œuvré dans une quincaillerie privée.

Il me fallait avoir beaucoup de vivacité et d'ouverture d'esprit, car je rencontrais des gens avec des besoins aussi différents que les outils peuvent l'être. Parfois c'était un clou de six pouces qui se présentait et, dix minutes plus tard, cela pouvait être trois vis à tête carrée. C'est aussi un métier qui exige beaucoup de tact : quand un motard de six pieds et demi vous demande le prix d'un sac de ciment, vous n'avez pas la même réponse que si c'est une dame de soixante-dix ans.

Je me souviens d'un certain client qui était venu en consultation relativement à une cabane d'oiseau. Il ne savait pas du tout comment percer le trou pour ledit moineau.

— Avez-vous mesuré le diamètre de vos moineaux en vol ? lui demandai-je.

— Pardon ? estomaqua-t-il.

Je répétai ma question et je vis à son air hébété que je venais de lui faire prendre conscience de la complexité du bricolage aéronautique.

Il me quitta et ne revint jamais par la suite, impressionné par mon savoir en oisellerie.

Relations homme-femme

À l'époque où les hommes étaient dominants, la femme était souvent considérée comme une sécheuse ou comme un lave-vaisselle. Aujourd'hui, la femme s'organise beaucoup mieux qu'à l'époque où elle était dinosaure. Elle travaille toute la journée et réussit en plus à laver les enfants, repasser nos cravates, résoudre le lavage, etc., etc. Chapeau, mesdames ! Vous avez fait un bond de kangourou.

Heureusement pour elle, l'homme a eu la souplesse d'accepter tous ces changements de rôle sans trop rouspéter. À un moment donné, elle devra se calmer. Assez sera assez ! Pourquoi l'homme n'aurait-il pas droit lui aussi à des congés de paternité, ou encore à du harcèlement sexuel ? Devra-t-il se faire émasculer pour avoir accès à un examen gynécologique ?

Autant de questions qui soulèvent le rire et le feront longtemps.

Malgré cela, je persiste à croire que la femme se plaint souvent à travers son chapeau. Elle ne sait pas à quel point elle est chanceuse d'être ce qu'elle est aujourd'hui. C'est vrai : lorsque Dieu nous a emprunté une côte pour créer la femme, Il aurait pu tout aussi bien décider de créer une « côte levée » à la place d'Ève... Non ?

Qu'elles y pensent un peu ! Elles vont peut-être apprécier davantage les côtelettes !

By the way, Dieu nous l'a-t-il remise, notre côte ?

Musique

Plusieurs membres de ma famille, y compris moi-même, ont longtemps cru à tort que je n'aimais pas la musique. Faux de A à Z.

Au contraire, rien ne me détend comme un bon concerto d'harmonica, une ballade de cornemuse ou, à la rigueur, un concert de baleine à bosse. D'ailleurs, il n'y a pas que les baleines qui chantent. J'ai enregistré récemment des crevettes dans mon frigidaire, le résultat est étonnant : on dirait un moteur. Mes enfants prétendent que c'est celui du frigo, mais n'en ont aucune preuve scientifique.

Non, ce n'est pas la musique qui m'incommode, c'est le volume. Personnellement, j'aime mettre le volume entre 0 et 1, et le baisser graduellement. On écoute la musique trop forte, surtout la musique d'aujourd'hui qui est spécialement faite pour tomber sur les nerfs, surtout les miens.

J'ai eu dans ma jeunesse des « coups de cœur », comme on dit, pour des chanteurs. Je pense entre autres à Bine Crosby, le Soldat Lebrun ou Jean Clément qui était en quelque sorte l'équivalent de Jimi Hendrix mais en moins frisé et avec plus de bienséance.

Malheureusement, beaucoup de ces chantres d'antan ont sombré dans l'inconscient collectif, car ils n'avaient pas à l'époque de CD ou des « Musique Plus » pour se faire connaître. La majorité d'entre eux n'avaient pas non plus le temps de devenir célèbres le jour, car ils devaient travailler la semaine. Ils n'avaient donc que le soir ou les week-ends pour le faire.

Si Céline Dionne travaillait en plus comme serveuse de jour chez son Nickels, je ne suis pas certain qu'elle aurait le temps d'aller chanter aux quatre coins du monde le soir.

Malgré tout, certains ont connu des succès indélébiles. Je pense ici à Edmond Nantel, un bûcheron des Hautes-Laurentides qui composait lui-même ses chansons au rabot. Edmond fut, à mon humble avis, le Michael Jackson des années 1949. Lui aussi s'était fait amincir le nez mais pour des raisons différentes de celles de Michael : il avait été défiguré par un skidoo.

Cela ne l'a pas empêché de poursuivre sa carrière, sauf qu'il zozotait un peu et qu'il chantait davantage du nez. Et que dire de La Bolduc ? Avoir vécu aujourd'hui, elle ferait probablement partie d'Harmonium ou des Rolling Stones. Qui peut dire le contraire ?

Drogue

Lors de ma jeunesse, nous n'avons pas eu la chance d'être drogués. Cela fut, selon moi, davantage un plus qu'un moins, car la musique d'aujourd'hui semble mener plusieurs jeunes vers le sentier de la drogue.

Je n'ai rien contre la drogue lorsqu'on est en phase terminale, je trouve que cela est même fort agréable à ce moment-là. Mais autrement, je suis pour les drogues douces comme le tilleul ou les paparmanes décaféinées.

Imaginez ce qu'auraient pu faire Baudelaire ou Rimbaud s'ils n'avaient pas utilisé de la drogue à l'époque. Peut-être Baudelaire serait-il devenu un pharmacien célèbre au lieu de finir poète... Même chose pour le jazzé Miles Davis qui, paraît-il, se piquait au cannabis. Pauvre lui ! Qui sait si, sans drogue, Baudelaire ne l'aurait pas engagé comme livreur dans sa pharmacie ?

Combien d'autres abusent de la drogue ? Qui nous dit que Evan Johannès, ou Lucien Pavarotti, ou un autre de nos grands ne sera pas un jour obligé d'ingurgiter du haschich pour réussir davantage ? Juste à y penser, j'ai envie d'appeler la RCMP.

Les salaires des joueurs de sport

En 1949, Maurice Richard gagnait vingt-trois cennes par but scoré. Aujourd'hui, Bill Roeteker, un illustre inconnu, gagne un million deux cent mille dollars par passe ratée. Peter Hlinka, un beû tchécoslovaque, a gagné seize millions la semaine dernière au sweepstake de New York (qu'est-ce que cela vient faire ici ?). Quand Gordie Howe ou Howie Morenz entendent cela, ils doivent avoir le goût de se retourner dans leur tombe, surtout Howie Morenz.

Au rythme où les salaires des joueurs augmentent, il faudra bientôt payer entre soixante et cent vingt-cinq mille dollars du ticket pour aller voir un match au Centre Molson, sans parler du stationnement et du restaurant après la partie. Quoique, à ce prix-là... les gens vont sûrement laisser faire le restaurant et apporter leur lunch ou se contenter d'un trou de beigne chez Tom Horton.

Mais, me direz-vous, qu'est-ce qui explique cette ascension vertigineuse des salaires des joueurs de sport ?

D'abord le hockey lui-même. Les matchs sont rendus tellement ennuyants que les joueurs méritent d'être bien payés pour se taper 84 parties aussi plates. Non mais, c'est vrai ! Pensez-vous que seuls les spectateurs s'endorment au Centre Molson ? Pourquoi pensez-vous que les gardiens portent le masque ? Pour se protéger le visage ? Non ! Pour pas qu'on les voie dormir ! Je suis sûr que d'ici quelques années, d'ailleurs, tous les joueurs vont porter le masque. Et d'ici dix ans, tous les spectateurs !

Le véritable risque de cette inflation des joueurs, c'est que d'autres métiers décident eux aussi de faire la même chose. Imaginez si les plombiers décident de suivre cette flambée de fous ! Toilette bouchée : vingt-cinq mille dollars ! Tuyau crevé ? Cent vingt-neuf mille dollars ! Quoique... ces chiffres ne sont pas très loin de la réalité actuelle.

De toute manière, l'argent ne fait pas le bonheur et je serais prêt à gager que, malgré tous ses millions, Wayne Grestky n'est pas plus heureux que Richard Gere ou Michael Jordan.

L'AU-DELÀ

Ma philosophie de la vie m'a toujours épaté.

On naît pour mourir et on meurt d'être né. Comment faire pour être éternel alors ? Ne pas naître ?

Autre songerie : « Si on ne mourait pas, on ne pourrait pas apprécier la vie. » Eh bien, je serais prêt à vivre sans arrêt, quitte à apprécier la mort au lieu de la vie. Pas vous ?

Comme vous voyez, je ne crache pas sur une bonne question existentielle à l'occasion : Existe-t-il un au-delà ? J'ai posé la question à ma bru Lison l'autre jour. Elle m'a répondu : « Au-delà de quoi ? Au-delà de votre étage ? »

La réponse peut sembler naïve, mais je crois qu'il ne sert à rien de se creuser la tête davantage.

Jean-Paul de Sartre, le philosophe parisien, était sûrement au courant de la réponse. Dommage qu'on ne lui ait jamais posé la question au cours d'une entrevue ou d'un quiz.

Pour moi, de toute manière, l'important est de mourir à son heure. J'espère d'ailleurs mourir assez tôt pour arriver au firmament en forme, car, selon moi, mieux vaut être reposé lorsqu'on arrive en terrain étranger.

C'est pourquoi je plains ceux qui doivent décéder malades ou en état d'ébriété. Imaginez-les à moitié saouls devant saint Pierre ou son boss, Dieu le Père !

Face à la possibilité de la mort, certains disent qu'il faut profiter de la vie au maximum et s'envoyer en l'air. Voyons donc ! La vie n'est pas une trampoline, quand même ! Si tout le monde passait son temps à se droguer et à boire, qui servirait les drinks ?

Alors, qu'est-ce que vivre au maximum ? Mourir à vingt ans d'une surenchère de drogue, ou se fracturer le crâne en recevant une chiure de mouche sur la tête à 92 ans... ? Personnellement, j'ai déjà acheté ma mouche.

Homme vs Femme

Lorsque j'ai choisi ma femme, je ne portais pas encore de lunettes. Je ne dis pas cela pour insinuer quoi que ce soit, ce n'est qu'un souvenir qui vient de me remonter à la surface.

Ma femme est un être surprenant. Je pense que les épouses sont des êtres humains au même titre que nous, les hommes, les noirs ou les handicapés.

Soit dit en passant, je ne sais pas qui a inventé le mot « homme », mais je le félicite : je trouve qu'il nous décrit très bien, beaucoup mieux que « sieur » ou « monsieur ». Lorsque, par exemple, je remplis un formulaire et que je réponds « homme » à la section SEXE, je ressens toujours un petit frisson dans le dos. C'est là une des raisons qui font que je n'aurais pas voulu être une « femme ». Ma barbe en est une autre.

L'homme et la femme sont-ils égaux ?

Je le crois presque. Je pense que l'homme est aussi intelligent que la femme. Il y a peut-être moins d'hommes que de femmes dans les universités, mais par contre, les hommes savent très bien qu'ils n'auront pas d'emploi en sortant de l'université. N'est-ce pas là une preuve d'intelligence étonnante ?

Certaines théories psychoféministes, ultraféministes j'en suis sûr, prétendent que les femmes peuvent penser à plusieurs choses en même temps tandis que nous, les hommes, ne pouvons penser qu'à une seule chose à la fois. Voyons donc ! Quelle idée ! Qu'on me donne seulement un exemple d'idée que j'ai eue dernièrement, une seule.

Tout cela pour dire que j'adore dialoguer avec mon épouse : cela me repose, surtout après un dur labeur, comme faire des mots mystères ou mémoriser une page de mon catalogue de scies sauteuses.

Au jeu de scrabble, par exemple, ma femme me bat régulièrement, mais cela n'a rien à voir avec l'intelligence. Au contraire. Sans le lui dire ouvertement, sauf quand elle me bat par plus de 200 points, je m'arrange toujours pour la laisser me devancer. Cela flatte son ego et me permet de faire semblant d'être fâché en brisant une chaise ou en jetant le jeu à la poubelle.

Moi et l'univers

J'ai toujours fait semblant. Que ce soit en compagnie des autres ou esseulé, je n'ai jamais montré toute l'étendue de mes connaissances ou de mon intelligence. J'ai lu assez de biographies de génies pour savoir qu'Einstein ou Clark Gable, par exemple, étaient plus qu'écœurés de se faire poser des questions sur l'univers et l'astrochimie. Surtout Clark Gable. Alors pour moi : non merci ! Même si dans mon for intérieur je connais toute l'étendue de mon intelligence, je préfère jouer au naïf.

Prenez la théorie de la relativité d'Einstein... Franchement ! Je sais bien que tout est relatif, mais quand même, il y a des limites à relativiser. Quand on pense que Neil Armstrong, le premier homme à marcher sur la Lune, n'a jamais mis un pied au Nouveau-Brunswick ni en France. Voilà qui est encore plus « relatif », non ?

Que les Américains commencent donc par atterrir en France ou à Chandler, en Gaspésie, au lieu d'aller faire les « smattes » sur Pluton. Cela n'enlèvera pas de jobs à leurs astronautes et cela aura des retombées économiques et spatiales à Avignon ou dans les Maritimes.

D'ailleurs, qui nous dit que les Américains ont *réellement* aluni sur la Lune ? Quand on regarde le vidéo de leur alunissage, on dirait la rue principale de Moncton un mardi soir. Relatif, vous allez me dire ?

Aller jusqu'au Soleil à la vitesse de la lumière prend le même temps que d'aller au centre d'achats à pied. *So what* ? Peut-on faire son marché sur le Soleil ? A-t-on compté le temps perdu à se mettre de la crème solaire pour se rendre jusque-là ? À tout prendre, j'aime autant aller au centre d'achats la lumière allumée dans mon char ! Voilà, mon cher Einstein !

C'est là l'envers de la médaille : si Einstein avait été femme de ménage plutôt qu'astrophysicien, il aurait peut-être inventé les taies d'oreiller contour. Cela aurait été pas mal plus utile que sa théorie de la relativité.

De toute manière, l'univers ne m'a jamais intéressé. Il m'énerve même. Ce n'est qu'un paquet de questions et, tant qu'à moi, il pourrait être plus éclairé le soir, cela nous économiserait de l'électricité.

Ce n'est pas pour me vanter, mais quand je pense à la pertinence de mon jugement, je regrette presque de ne pas être né plus tôt dans l'histoire de l'humanité. J'ai l'impression, bien humblement, que j'aurais pu éviter un tas de gaffes à l'humanité : l'extinction des bisons, la guerre de 1939-1945 (les années 1941 et 1943 à la rigueur), l'autoroute Décarie, la disparition de Dieu, et bien d'autres.

Je n'ai peut-être pas le talent d'un Henry Ford ou d'une Olga Lada, mais je n'échangerais pas mon jugement contre le leur, surtout pas contre celui de madame Lada.

Merci.

L'AVENIR HUMAIN

Nul doute que l'avenir de l'humanité s'annonce fort prometteur, mais de graves guets-apens guettent néanmoins notre espèce : l'augmentation de la durée de la grippe et son corollaire, l'augmentation du coût des kleenex, l'augmentation de la fonte des glaciers et sa conséquence : la disparition du Vieux-Longueuil, la disparition de la race humaine, ce qui permettra sans doute la survie de notre système solaire et ne fera pas un pli à l'univers. Toutes des raisons qui font qu'on y pensera peut-être deux fois avant d'aller au salon de clonage et qu'on demandera peut-être à son « généticien » de se faire recloner en hamster ou en Chevrolet ! J'ai déjà fait une demande dans ce sens à General Motors, mais le clonage avec vitres électriques n'est pas encore au point, m'a-t-on répondu.

L'AMITIÉ ENTRE HOMMES

L'amitié entre hommes du même sexe, hétéros j'entends, n'a pas de prix. Heureusement pour mes amis ! S'il avait fallu que mes amis paient pour tous les conseils que je leur ai donnés, ils seraient assurément dans la rue aujourd'hui. Et qui viendraient-ils voir pour les sortir du trou ? Monsieur « gros bon sens » lui-même, votre humble serviteur.

L'amitié de deux mâles n'a rien à voir avec l'entente copulatoire entre homme et femme. L'amour est une chose fantastique, particulièrement pour la femme, mais l'amitié entre hommes a cette vertu qu'un ami c'est gratuit et fiable. On peut l'appeler au téléphone à toute heure de la nuit. C'est dur d'appeler sa femme à quatre heures du matin quand on est couché à côté d'elle, surtout quand c'est pour lui conter une blague salée ou lui faire part de notre angoisse concernant la défensive du Canadien.

Je pense également qu'il n'y a rien comme une bonne engueulade virile pour régulariser son taux d'hormones mâles. C'est là sans doute la plus grande lacune du couple, car la femme, privée de testostérone, est désavantagée lors d'une engueulade. Elle finit immanquablement acculée aux larmes, trop démunie sur le plan hormonal pour s'engueuler d'égal à égal avec l'homme.

La grosse différence, en fait, entre l'homme et la femme, c'est que la femme, elle, *pense vraiment* ce qu'elle dit au cours d'une engueulade alors que l'homme, lui, ne le pense généralement pas. Il gueule pour gueuler, sans but précis, pour le simple plaisir de hurler et de se libérer l'hormone.

Par ailleurs, il n'y a rien comme un bon chum pour vous dire d'en « manger un char », car même si nos femmes et nos enfants nous aiment, ils n'ont pas toujours le mot juste pour nous « botter le mental » et nous remettre la pendule à l'heure !

Lorsque mon ami Paul Gauthier, alias Pogo, vient par exemple me voir pour me dire qu'il en arrache avec son épouse Linda, qu'il est sur le point de se tirer une balle dans la tête grâce à elle, je me fais un plaisir de le traiter d'attardé mental, de moron ou de jello. Et s'il insiste pour me dire que je ne comprends rien, je lui tends alors ma 303 et deux boîtes de balles.

— Quen, l'épais, vas-y. Tire-toi-z'en deux douzaines dans la tête. Ça va peut-être te calmer, gros beigne.

— Mon écœurant, toi. Tu mériterais d'être pendu par les intestins.

Ce dialogue, empreint de tendresse virile, illustre à merveille ce précepte qui veut que, entre mâles, la vérité ne passe pas par quatre chemins et que les kleenex ne sont pas en papier mou mais en papier sablé.

Je me souviens d'un certain Maurice qui souffrait d'une maladie terminale. Il était venu me voir en sanglots :

— J'en ai pour six mois, me dit-il, après je suis fichu...

— Six mois pour quoi ?

— Pour mourir.

— C'est bien assez, lui repris-je. C'est quoi le problème ?

— Tu comprends rien, esprit de toton.

Le simple mot « toton » me stimula énormément !

— Pourquoi tu me dis ça, écœurant ? Pour me mettre *down* ? lui lançai-je.

Étonné, il me regarda...

— Comment ça, te mettre *down* ?

— Comment ça ? Non mais, tu comprends rien, le malade ? Mon meilleur ami vient m'annoncer qu'il va crever. Tu trouves pas ça déprimant, toi ?

— Excuse-moi, me dit-il avant de partir sans demander son reste.

Il n'est jamais revenu se plaindre par la suite. Quand je l'ai revu dans sa tombe six mois plus tard, j'ai vu que j'avais exagéré un peu : j'étais déprimé, mais pas tant que ça. En venant se plaindre six mois plus tôt, il m'avait préparé à son départ.

Merci, Maurice.

SEXUALITÉ

« Lorsque ta femme fait l'amour, arrange-toi pour être dans les alentours. » Ce vieux principe, reçu en cadeau le jour de mes noces, ne m'a jamais quitté.

J'ai de merveilleux souvenirs érotiques de ma vie de couple. Dommage que ma femme ne puisse en dire autant. Quoique je ne pense pas que la femme soit très attirée par le sexe.

Cette histoire d'orgasme chez la femme est, selon moi, une invention des médias. J'en ai eu la preuve unanime au cours de mes ébats sexuels avec celle qui partage ma libido. Au contraire, la femme devient souvent maussade après ou pendant l'acte, allant même jusqu'à lancer des quolibets dans le genre : Monsieur Minute... Monsieur Road Runner... Monsieur Guinness...

À mon sens, seul l'homme a la capacité physique d'orgasmer. La nature l'a ainsi doté pour l'inciter à faire l'« acte », lui qui est beaucoup plus attiré par les parties de hockey que par les parties intimes.

Le sexe a quand même une certaine importance dans la vie de couple, surtout sur le plan économique. Lorsqu'un couple fait l'amour à la maison, il sauve facilement de vingt-cinq à trente dollars : deux billets de cinéma à dix dollars, le stationnement, le pop-corn, la réglisse, etc., etc.

Littérature et roman

Lorsque je tends l'oreille vers des gens qui causent littérature ou roman, je préfère entrer en mon for intérieur, car je suis moi-même très littérateur. Peu de gens bien sûr connaissent ce talent bien caché. Je l'ai moi-même découvert sur le crépuscule du soir, comme dirait Rimbaud ou Vervaine, les « maudits poètes », et cela est d'autant plus surprenant que, jusqu'à tout dernièrement, je ne lisais à peu près rien sauf Gaétan Pincourt, éditeur en chef du magazine *Moules et morues.*

Suite à une remarque un peu négative de ma fille Caro, « Tu as un beigne à la place du cerveau ! », j'ai tenté, pour lui fermer la trappe, de rédiger quelques chefs-d'œuvre et je pense que le résultat ne s'est pas fait attendre.

J'ai écrit à ce jour des romans très courts, de deux ou trois pages, et ce, dans tous les styles : policier, extraterrestre, sensuel doux, mécanique, etc.

Je vous livre ici un extrait de mon roman policier où le héros, Aimé Paré, est espion à Laval et tente de découvrir qui a kidnappé la superbe caissière du Canadien Tire alors que c'est samedi matin et que des douzaines de clients attendent à la caisse.

Jugez par vous-même :

La Caissière kidnappée

Le parking est plein... plein de voitures et d'autos de toutes sortes. Une dernière arrive en furie et freine en tournant pour se garer entre deux autres : elle est rouge et celui qui en débarque est vraiment un héros. Grand malgré ses 5 pieds et 9 pouces et 3/4, la barbe au milieu du torse, les lunettes noires, la casquette sur la tête de cordurοi, il pénètre dans le magasin, sous les yeux paniqués de douzaines de clients qui attendent la caissière.

— Inspecteur Paré, de l'Interpol...

— Ah ! vous voilà enfin, faites-moi l'amour, de répondre la gérante.

— Minute, papillote, laissez-moi d'abord retrouver votre caissière.

Alors bondit sur lui un bandit aux muscles bandés. Les cheveux frisés blonds, habillé en gérant de Caisse populaire, il s'élance en ces mots :

— Les mains en l'air, monsieur Ti-Mé. N'essayez pas de faire le smatte avec moi : nous exigeons une rançon de deux dollars, autrement vos clients iront payer à la caisse du Provigo d'en face.

Alors, comme un réflexe de chat, l'inpecteur Paré rebondit en moins de temps qu'il n'en faut pour décaper un cure-dents et vlan ! d'un coup de jus au jitsu, l'inconnu est maîtrisé.

— Vas-tu avouer ou faudra-t-il que je me serve de ma nouvelle perceuse sans fil ?

— Non, non, ça va, Pepa. La caissière est dans votre valise de char. Je l'ai cachée là pour être sûr que personne ne la trouve et pour qu'elle ait de la place, car votre valise est vraiment spacieuse. Félicitations !

— Laissez faire les compliments et laissez ma valise tranquille. Je vous avertis : si elle a souffert le moindrement, vous êtes un homme mort.

— Elle n'a pas souffert. Elle est sous le pneu de secours.

Vite comme une lampe qu'on allume, Paré ouvre sa valise d'auto. La caissière est là, vêtue de son bonnet, ravie à sa vue.

— Ahhhhhh ! Inspecteur Ti-Mé, soupire-t-elle.

— Paré, ma belle ! Inspecteur Paré !

Ils partirent heureux et eurent beaucoup de moments.

FIN

Il s'agit là évidemment d'un condensé fort concentré, extrêmement littéraire de surcroît. J'ai en outre concocté plusieurs scénarios de films dont je vous livre ici un extrait :

ROCKY XXIII
(Film d'action et politique)

Lors d'une visite de courtoisie en Chine, Rocky défie le président Mao dans un combat de boxe à l'issue duquel le gagnant héritera du pouvoir en Chine. Le président Mao, joué par Stéphane Ouellette ou Dave Hilton, s'entraîne pendant des mois en frappant sur la Muraille de Chine alors que Rocky est maintenu prisonnier dans une usine de poulet aux ananas où il contracte le diabète. Privé de tout équipement et de tout gymnase, il utilise un egg-roll en guise de punching-bag, ce qui augmente la précision de ses coups. Le combat, très violent, dure 19 rounds. Le Timonier Mao, résistant malgré ses 89 ans, va 39 fois au plancher et, bien qu'il termine le combat dans le coma, est déclaré gagnant.

Furieux, Rocky massacre à l'égoïne les deux tiers de la population chinoise qui capitule et demande «pardon, mon oncle» aux États-Unis. Devenu plénipotentiaire au pays, Rocky condamne Mao aux travaux forcés dans un McDonald, déclare le chinois langue illégale et fait de la Chine la onzième province canadienne avec Jean-Lou comme lieutenant-gouverneur.

Le film se termine alors que Rocky, qui chevauche une ogive nucléaire, part affronter Saddam Hussein au tir au poignet ou dans un duel à la *chain saw*.

Captivant, non ?

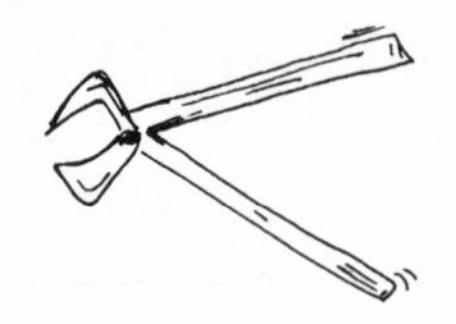

Voyage de noces

Mon épouse et moi avons fait notre voyage de noces ensemble, dans un motel du nord de la ville, boulevard Lajeunesse, pour être plus précis. Mes beaux-parents nous avaient offert de passer notre lune de miel chez eux, mais ma femme n'était pas du tout intéressée. Allez donc savoir pourquoi...

Comme j'avais une voiture neuve à l'époque et que je ne voulais pas user prématurément mes pneus, je lui proposai de prendre l'autobus pour nous rendre au motel. Enragée très noire, elle sauta dans un taxi et je la rejoignis en autobus.

Lorsque je la vis m'attendre en baby-doll dans la chambre à une heure de l'après-midi, je lui demandai si elle souffrait de décalage horaire.

— Pis toi ? De quelle sorte de décalage tu souffres ? De décalage mental ? me lança-t-elle.

Je compris alors que je n'aurais jamais le dessus sur elle, même pendant ma nuit de noces. J'en conserve néanmoins un souvenir exceptionnel.

Nous n'étions pas encore des experts en érotisme, mais mon talent au scrabble combla cette lacune. La première nuit, nous avons joué jusqu'à deux heures du matin. Ma femme, visiblement jalouse de ma facilité à former des mots avec les lettres K, Y et W, fit tout pour me déconcentrer, inscrivant *Sexe*, *Déniaise*, *Eunuque* et *Grouille* sur la planche du jeu. Mais je gardai ma concentration et finis par l'endormir d'épuisement. Je la réveillai le lendemain matin avec WINIBAGO placé en travers de YOGI, sur un mot compte triple ! Elle tenta de faire l'amour pour me récompenser, mais je m'écroulai de sommeil sur le lit et mon WINIBAGO.

J'en fus quitte pour finir mon voyage de noces seul. Lorsque je regagnai le nid conjugal le lendemain soir, je la trouvai en train d'écrire *DIVORCE* sur la planche de scrabble, ce qui lui valait 50 points puisqu'elle utilisait ses sept lettres d'un seul coup.

Nous avons finalement copulé l'acte environ deux mois et demi après mon retour. Je ne sais trop ce qui occasionna cette précipitation, mais comme je le répétais à ma nouvelle épouse qui s'inquiétait de mon manque de désir :

— Je ne veux pas te brusquer, ma chérie.

— Y a pas de danger, me répondit-elle.

Je connaissais déjà assez la psychologie féminine pour savoir que la femme a besoin d'un lot de préliminaires avant de faire *la* chose. Deux mois et demi, ça m'apparaît encore relativement court dans son cas personnel.

Le vieillissement

La vieillesse est une chose que je respecte énormément, car je veux qu'elle s'acharne sur moi le moins possible. Certains disent que c'est la seule justice ici-bas. Que veulent-ils dire au juste ? Qu'au moins on finit tous gagas ? Insultant, n'est-ce pas ?

Vieillir est plus difficile pour les femmes, car elles se retrouvent souvent veuves et sans homme pour leur assurer pitance et joie de vivre. Le fait que les hommes meurent en général plus jeunes favorise énormément ceux qui restent, car ils se retrouvent alors au milieu de véritables harems. Quoique finir sultan de la prostate au milieu d'un harem de cet âge... En tout cas, je préfère m'arrêter ici, je me comprends. Il vaut parfois mieux garder le silence.

Certains, certaines surtout, refusent de vieillir et se font remonter le visage à outrance pour avoir l'air jeune. Or, je ne pense pas que le fait d'avoir le nombril dans le front nous aide à vieillir en beauté. Si je m'étais fait remonter le visage à chaque nouvelle ride, j'aurais la casquette appuyée sur le nez à l'heure actuelle et les deux yeux en arrière de la tête. Imaginez ce qui me pendrait au menton rendu à 87 ans. La seule chose que j'accepterais de me faire remonter, ce sont mes bas. Et encore, pas par n'importe qui.

D'ailleurs, le charme de quelqu'un n'a rien à voir avec sa beauté. Prenez mon épouse, par exemple. S'il lui avait fallu compter uniquement sur sa beauté, elle ne serait pas rendue où elle est à l'heure actuelle, c'est-à-dire dans la cave en train de laver sereinement mes bobettes.

Bien sûr, la beauté ne nuit pas, j'en sais quelque chose. Combien de fois m'a-t-on offert d'être mannequin pour des annonces d'itinérant ou des photos d'Ancien Testament ? Mais j'ai toujours refusé de voir cela me monter à la tête. Même chose pour mon corps : sans être un Apollon, j'ai, je pense, ce musc viril qui fait se retourner les femmes sur l'oreiller et s'endormir la mienne dans mon couple personnel.

La réincarnation

Si Dieu existe, je me demande s'il parle le français de France ou le français du Québec. De toute manière, je ne voudrais pas être dans ses culottes ou sa chasuble. (Sommes-nous nus au paradis ?)

Je pense même qu'il Lui arrive de sacrer à l'occasion, car il faut avouer qu'il a toute une job : la Mafia, la Météo, l'Univers. Heureusement pour lui que toutes les planètes ne sont pas habitées. Par contre, qui nous dit que les minéraux n'ont pas une forme de vie spirituelle ? S'il faut en croire les réincarnologues, la vie minérale n'est-elle pas le premier stade de la vie ? À ce moment-là, Réjean était probablement un tas de garnotte dans sa vie antérieure Rénald, un portefeuille ou un coffre-fort Caro, un double espresso non allongé, et Lison, une couleur.

À bien y penser, je suis certain que la réincarnation existe, surtout dans le cas de mon gendre Réjean ; je pense même qu'il est encore à moitié mort.

Quant à moi, je suis convaincu d'avoir déjà vécu sous la forme d'un empereur ou d'une égoïne, car je me sens toujours très familier en présence de ma scie. Pas besoin de se dire un mot : on se regarde et on se comprend, comme si ses dents étaient les miennes. Il m'arrive même de lutter contre la tentation de m'étendre dans mon coffre à outils, de mordre un deux par quatre ou de m'accrocher sur le mur à côté de mon rabot.

Pour ce qui est de la vie antérieure de mon épouse, je préfère garder le silence. Je ne pense pas qu'elle apprécierait être comparée à une huître, un casque de pompier ou un lama nain.

Si tous les Chinois se transformaient en grains de blé d'Inde, combien d'épis obtiendrions-nous ?

Ma barbe

J'ai toujours admiré mon profil et je ne suis pas le seul. À voir la gent féminine feindre de ne pas me remarquer, je comprends fort mal le peu de jalousie déployé par mon épouse.

La décision du port de ma barbe est d'ailleurs venue du fait que les femmes me courtisaient un peu trop le mâle à mon goût. Un six pouces de poil au menton, « ça calme sa femme », comme on dit, surtout la mienne ! Mais comme je me plais à lui dire : « Mieux vaut un paquet de poils fidèle qu'un menton coureur de jupons ! »

Elle a beau me traiter le faciès de laine d'acier, cela ne l'empêche pas de venir s'y frotter à l'occasion. Même si d'ordinaire elle préfère porter ses gants à vaisselle lorsque nous faisons l'amour, je suis certain qu'elle serait fort déçue si je décidais de me passer la tondeuse à gazon dans le visage. Les femmes, j'en ai eu la preuve, disent souvent le contraire de ce qu'elles pensent, surtout en ce qui a trait à mon apparence.

Le fait de porter la barbe m'attire aussi énormément de respect.

Plusieurs me prennent pour un franciscain laïque ou un intellectuel soviétique. Il m'est déjà arrivé même de me faire demander naïvement par un groupe de jeunes vestes de cuir le nom de mon vétérinaire. Je leur ai candidement répondu d'« en manger un char » : j'aime bien faire rire de moi mais dans les limites de la politesse quand même.

Hommage à ma femme

Si on me demandait de décrire les qualités de ma femme, je n'hésiterais pas plus de cinq minutes : sa phentexcosité, c'est-à-dire son talent au tricot phentex, son sens de l'observation lorsqu'elle surveille une dinde au four, sa joie dans le sommeil. Autant de qualités qui ont aiguisé mon admiration à son égard au cours de nos quarante années de mariage ininterrompu. Qui plus est, jamais je ne l'ai vue peser à côté d'une sonnette ou fermer une fenêtre au lieu de l'ouvrir.

Même chose côté propreté : jetez-lui un gallon de goudron au visage, elle en viendra toujours à bout. Jetez-lui-en un deuxième, vous recevrez les trois autres en pleine face. Assurément, c'est une véritable Madame Net. Côté tarte également, elle n'a pas sa pareille : aucun bleuet ne lui résiste, même pas moi, dirait-elle.

Les outils

Oui, je suis épicurien, en ce sens que je jouis énormément à toucher, tripoter et cajoler tout ce qui commence par un O et se termine par un L. J'ai nommé le mot OUTIL. Installez-moi dans une soirée de dégustation d'huîtres, je vais hurler pour qu'on me sorte de là. Enfermez-moi quarante-huit heures dans mon coffre à outils, je ne dirai pas un mot. Vous ne m'entendrez même plus respirer.

Oui, je l'avoue sans interrogatoire, j'adore bricoler. Pas tant pour concocter un meuble ou un building que pour le plaisir de fesser un clou, visser une vis ou mesurer une planche de quatre pieds. Scier équivaut pour moi à un match de tennis. Je sue et je me fâche autant, car étant très lunatique de nature, il m'arrive de confondre l'objet de mon sciage avec la main qui le tient.

Être né dans l'Antiquité ou quelques semaines plus tard, j'aurais probablement inventé le clou de six pouces ou les pinces à homard, car il ne se passe pas une journée sans que j'invente un outil dans ma tête. Hier encore, j'ai eu la vision d'une grue mécanique miniature pour sortir les sardines de leurs boîtes.

La première fois d'ailleurs que j'ai aperçu un pneu, j'étais âgé de deux mois, j'ai ressenti une impression de « déjà-vu ». Cette impression n'a cessé d'augmenter depuis, surtout lorsque j'installe mes pneus à neige étendu par terre sous ma voiture, avec la slutche qui me coule dans la face. Je me sens alors comme un Égyptien de l'Antiquité couché sous une pyramide ou en train de changer le muffler de son chameau.

Fidélité conjugale

J'ai, il me semble, toujours été fidèle à mon épouse.

J'aurais pu, grâce à mon charme, profiter des largesses féminines à mon égard, mais pourquoi jeter de l'huile sur le feu, surtout quand il n'est pas allumé ? Je ne me chauffe pas de ce bois-là... Voilà pour vous, mesdames ! Lâchez-moi avec vos pseudo-regards absents ! Cessez de me crouser par la bande en faisant semblant de regarder ailleurs. Une femme avertie en vaut deux.

Je ne dis pas que je cracherais sur une Julie Robert ou une Ursula Undress étendue sur mon établi en tenue d'Adam, un tournevis entre les dents, à condition qu'elle ne le morde pas trop fort. Mais là encore, je préfère me taire : ce que mon épouse et moi faisons dans mon atelier ne regarde personne.

Les gays

En ce qui concerne les gays, je n'ai aucun préjugé à leur endroit. Ce sont des hommes comme tout le monde, souvent très intéressants même, car certains d'entre eux peuvent mesurer six pieds ou plus et peser jusqu'à 250 livres. Ça ne doit pas être facile de trouver un baby-doll de cette taille, surtout quand on a la moustache noire.

Dommage d'ailleurs que les gays soient boudés par l'armée, car s'il y avait plus de gays au front, les pays feraient probablement l'amour au lieu de faire la guerre. Saddam Hussein eût-il été gay, l'impératrice de l'Irak se serait peut-être appelée Liberace. Pourquoi pas ?

Qui plus est, il faut être courageux pour afficher sa « différence » et rétorquer aux imbéciles de toutes sortes. La preuve ? J'ai demandé récemment à Jean-Lou s'il portait le stérilet. Il m'a répondu : « Pis toi, mon gros beigne, portes-tu le cerveau ? »

CARTE POSTALE

Cher POGO...

Déjà 36 heures que nous sommes à Laval. La température est fantastique.
Nous sommes allés manger dans un restaurant : on se serait cru à Montréal.

De notre chambre, nous apercevons la rue Papineau. Quel temps fait-il à Montréal ?

Nous nous couchons tôt et nous nous endormons tard, trop excités. Nous avons visité l'extérieur de l'Hôtel de Ville de Laval. J'ai même photographié la voiture du maire, une Buick. Jaqueline dit qu'elle s'ennuie. Le décalage horaire sans doute.

Si tout va bien, nous serons de retour à la maison dans vingt minutes.

Aimé

P.-S. : Nous avons bien fait de faire le voyage en métro. Merci de ton conseil.

Points communs avec les grands

J'ai en outre plusieurs points communs avec certains grands inventeurs : Darwin, semble-t-il, ne mâchait jamais de gomme, moi non plus ! Léonard de Vinci serait né un mardi, moi aussi. Nous faisons tous les deux de la peinture, lui de la Joconde, moi à numéros. En passant, je ne suis pas fou de sa *Mono Lisa*, il aurait pu la faire coiffer avant de la peindre, non ? Autre point commun avec lui : je me suis surpris à siffler en italien alors que je bricolais un sous-marin construit en bâtons de popsicle... Or, c'est Léonard qui a inventé les sous-marins !!! En tout cas...

Mes enfants

Ma femme a eu la chance d'accoucher quatre merveilleuses fois. Si elle ne m'en a jamais remercié officiellement, c'est sans doute que les mots lui manquaient dans la salle d'accouchement. L'émotion probablement... Les femmes qui accouchent deviennent très émotives, paraît-il, au moment de délivrer.

Rod

Je me rappelle la naissance de mon fils Rod. Le Canadien perdait 3 à 2 contre Boston lorsque ma femme m'a téléphoné pour me dire qu'elle avait eu un fils. Je lui ai demandé de me rappeler, car Jean Béliveau s'approchait dangereusement du filet adverse. Cela a créé un certain froid sur le coup, mais le but de Jean a calmé ma mauvaise humeur. Je n'ai donc pas assisté à l'accouchement de Rod mais, comme j'ai toujours dit à ceux qui me le reprochent, lui non plus n'a pas assisté au mien.

Dès sa naissance, j'ai su que Rod serait l'aîné de la famille. Il n'a jamais été et ne sera jamais un Einstein ou un Black&Decker, mais il possède des qualités agréables. À l'image de son linge, il est propre et de la bonne grandeur.

C'est mon fils et je n'y peux rien.

Thérèse

Thérèse fut le second fruit de notre amour. Dès qu'elle naquit, j'ai senti qu'elle serait différente des autres. C'est la première fois, nous a-t-on dit, qu'un enfant est né avec des lunettes. Quand ma femme lui a offert de l'allaiter, elle a demandé du lait 1 % au lieu du sein. À deux mois, elle se changeait de couche toute seule et n'a jamais arrêté depuis.

Thérèse est une spécialiste de l'« ailleurs », en ce sens qu'elle est toujours ailleurs mais pas nécessairement quelque part. Si elle avait été scientifique ou cervicale, comme Einstein l'était par exemple, elle aurait facilement pu devenir une sorte de Marie Curie ou de sœur d'Ars, car nul doute que son cerveau vole à des latitudes très éloignées des nôtres.

Autre obstacle à son développement cérébral : elle adore se mettre au neutre. Prozac, Valium, tisane aux queues de morue calmes sont parmi ses principaux loisirs et ses meilleurs amis. De fait, elle affectionne tout ce qui apaise, y compris regarder un mur pâle.

Réjean, sa rousse moitié, n'a pas aidé lui non plus à stimuler son intellect. Lui-même assez tranquille sous la calotte, il utilise à peu près la même énergie cérébrale qu'une branche de céleri. Il a cependant plusieurs handicaps à son crédit. Naître menteur et paresseux n'est pas de tout repos, surtout lorsqu'on est profiteur et adultère chronique de surplus. Mais je préfère m'arrêter ici de peur de tomber dans ses défauts. Il m'est difficile de parler de lui positivement. Il a d'ailleurs le même problème à son égard.

Caro

Caro est née énormément.

Elle pesait seize livres à la naissance. Déjà revendicatrice et rebelle, elle insista pour se couper elle-même le cordon ombilical, cracha sur le sein maternel et vomit dans la vitre de la pouponnière en m'apercevant.

Très déçue de naître, elle a hurlé de rage pendant un gros neuf mois. Son air agressif impressionnait tellement au début que même les infirmières la vouvoyaient.

À deux jours, elle est entrée dans sa « phase du non » et ne l'a jamais quittée par la suite. Elle a bien traversé certaines phases du « peut-être » à l'occasion, mais ce n'était que pour mieux rebondir dans la phase du « étouffe-toi » par après.

En fait, Caro est le portrait tout craché de sa mère. Sous ses dehors bourrus, elle cache un air de « beû ». Tout comme sa mère d'ailleurs, elle adore me taquiner et peut, sans que je lui demande, me traiter de « têtard eunuque », de « macaque nazi » ou de « couille molle ». Mais cela me coule comme sur le dos d'un connard, car je connais assez la psychologie féministe pour savoir que chaque insulte correspond à un compliment déguisé. Je dois avouer que les siens sont très bien déguisés.

RÉNALD

Et puis est venu au monde Rénald, le mouton blanc de la famille. Je n'ai aucun souvenir de sa conception – je devais dormir –, car je dois l'avouer : Rénald n'était pas prévu dans notre planning familial. Notre idée était d'avoir trois enfants et lorsque Rénald fit tomber sa mère enceinte, il nous fallut quelque temps avant de l'accepter. Nous avons fini par l'accepter la semaine dernière.

Autre surprise : nous étions sûrs que ce serait une fille, à tel point que nous l'avons appelé Yvonne jusqu'à l'âge de treize ans. C'est sur l'insistance du psychologue scolaire que nous avons changé Yvonne pour Rénald. Sur son baptistaire, on peut encore lire Rénald, Marie, Yvonne, Solange et Tania.

J'ai assisté à son accouchement, mais dans le corridor. Le médecin m'a invité à y assister dans la salle d'accouchement, mais j'ai préféré rester dans le corridor où j'ai senti que je serais plus utile, en cas de nécessité d'ouvrir les portes rapidement, par exemple.

Lorsque le docteur m'a annoncé que c'était un cas de siège, j'ai pensé que ma femme avait accouché d'une chaise. Et quand j'ai aperçu la fiole de Rénald, je me suis dit :

— Une chance qu'elle a pas accouché du set de chaises au complet.

Je revois encore sa petite face traquée : on aurait dit un petit hamster chauve paniqué. Comme quoi on ne change pas tant que ça en vieillissant. Je l'aperçois encore bébé, la couche sur la tête. Ses premiers mots furent « REER » et « Bordereau »...

J'ai en fait un souvenir très vague de son enfance... Je me souviens par contre qu'il a toujours été très économe. À six mois déjà, il faisait des crises pour que sa mère lave ses pampers au lieu d'en utiliser des neuves. Il devint même constipé par souci d'économie.

À deux ans et demi, il mettait des raquettes dans ses bottes d'hiver pour les agrandir et ne pas avoir à en acheter d'autres. Il ramassait même ses cheveux chez le barbier en prévision de ses vieux jours.

Comme il chargeait dix sous de l'heure aux autres enfants pour jouer avec eux, il avait énormément de difficulté à se faire des amis. Ses relations avec son frère Rod étaient d'ailleurs purement professionnelles. Il effectuait certains travaux pour lui, comme le peigner, ramasser ses bas, et Rod finit même par le louer comme « punching-bag » : deux sous le coup de poing et cinq sous par saignement de nez. Nous avons dû les arrêter, car Rod était rendu qu'il empruntait à un « shylock » pour s'entraîner sur son frère.

Rénald louait également ses cheveux à Thérèse qui s'en servait pour jouer à la coiffeuse. Elle l'a tellement frisé qu'il ne s'en est jamais remis : il est devenu indéfrisable par la suite.

À mon souvenir, Rénald n'a jamais eu d'adolescence, sauf en ce qui a trait aux boutons. Il a bourgeonné allègrement de douze à dix-sept ans, au point que je l'avais affectueusement baptisé « Monsieur Smarties », ce qui soulevait à la fois l'ire et le rire, surtout chez ses « tentatives de petites amies »...

Finalement, Rénald a épousé Lison, une jeune femme.

Elle œuvrait à ce moment-là à titre de caissière dans un marché d'alimentation. Son signe du zodiaque est Poissons, surtout lorsqu'elle ouvre la bouche. Je ne veux pas dire qu'elle n'est pas intelligente (mais je me demande bien ce que je veux dire d'autre). En tout cas.

Malheureusement, je n'ai pu assister à leur mariage car j'avais réussi à obtenir un billet du médecin. Je proposai au médecin d'utiliser ma verrue plantaire comme prétexte, mais il la refusa poliment et me proposa plutôt un cas de bursite mentale. Lison et Rénald n'y virent que du feu.

L'être essentiel

Chacun de nous se pense essentiel. Mais essentiel pour quoi ? Essentiel pour qui ? L'univers ? La planète ? La famille ? Personnellement, je dirais notre linge, notre NIP à la rigueur, notre femme à l'occasion, mais là encore, il ne faut pas trop s'énerver le poil de l'ego : une grande différence existe entre l'essentiel et l'irremplaçable ! Exemple : la vie est essentielle, mais la mort, elle, est irremplaçable !

Mes films favoris

À regarder les films qui passent aujourd'hui dans les cinémas ou les clubs vidéo, on peut se demander si les cinéastes actuels ne sont pas en panne de contenu dans le contenant. Que veux-je dire par là au juste ? Dur à dire, mais le fait est que je me pose de sérieuses questions sur le cinéma des années 1980 et plus. J'exclus évidemment *Rambo XIV* sorti en

1988 et dans lequel Sylvestre Stallone m'avait séduit en massacrant les trois quarts de la Sibérie orientale. Quelle performance magistrale ! Nul doute que cette raclée à la Sibérie a largement contribué à l'affaissement du communisme quelques mois plus tard ! Coïncidence ? J'en doute fort.

Non mais pensez-y : quel a été le plus grand succès du cinéma ces dernières années ? *Le Titanic* ! Ce même *Titanic* qui avait déjà coulé sur nos écrans en 1953 avec Errol Flynn ou je ne sais pas qui... Et dire que ceux qui sont allés voir le *Titanic* de Di Caprio hurlaient de douleur dans la salle, comme s'ils ne savaient pas que le *Titanic* allait couler ! Franchement ! Imaginez ce que *nous* avons ressenti quand *nous* l'avons vu couler en 1953 ! Et les Prozac n'existaient même pas à l'époque. Il fallait nous calmer nous-mêmes, à la main, à grands coups de claques dans la face.

Et que dire d'*Aline* ou *Alien*, la « bibitte estomac » conçue justement pour donner des ulcères d'estomac ! Même chose avec *Les Dents de la mer*. Facile de faire hurler le public avec une mâchoire de requin, mais pas évident de l'émouvoir autant avec une canne de thon !

Et que dire de *Star Wars* ? On dirait un *remake* de Robin des Bois ou du *Courrier du Roy*, mettant en vedette Albert Millaire, notre Harrison Ford québécois.

Même chose avec *Private Ryan*, pâle copie d'*Un simple soldat* de Marcel Dubé. Autre exemple : le *Godfather*, qui n'est qu'une « copie anticipée » de *Omertà*... Pareil avec *The Fourth of July* (Tom Cruise en vedette), copie méconnaissable mais copie quand même de *Bouscotte*. Qu'attend donc Victor-Lévy Beaulieu pour engager Perry Mason et poursuivre Hollywood ? Qui enfin pourrait nier la ressemblance entre *La Sagouine* et *Fatal Attraction* ! Et là je parle de cinéma, mais il me serait très facile de parler peinture alors qu'un lien plus qu'évident existe entre Muriel Millard et Riopelle. On pleure autant à regarder un clown sur acrylique de Muriel.

Je m'arrête ici de peur de m'enrager davantage et de vous faire découvrir qu'Einstein s'était inspiré beaucoup plus qu'on ne le pense du curé Labelle ! Comme le chantait si bien Robert Demontigny, précurseur de Brassens et de Piaf, « Rien n'est impossible... ».

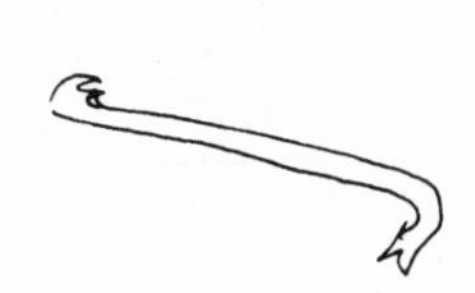

Question extraterrestre

Question : les extraterrestres pensent-ils que les humains sont blancs, noirs ou jaunes ? Non, mais imaginez un extraterrestre qui atterrit en pleine jungle amazonienne et qui tombe sur un pygmée à babines étirées ! Sans vouloir dénigrer le « ti-pout » à babines, est-ce que le E.T. ne serait pas mieux d'atterrir à New York ou à Pékin ? Quoique, encore là, pas facile de comprendre le chinois pour un Vénusien. Le mieux serait probalement qu'il tombe sur un mime comme Marcel Marceau ou sur un professeur de chez Berlitz. En tout cas.

Pourquoi d'ailleurs les soucoupes volantes se manifestent-elles uniquement le soir dans des champs déserts ou dans des mines de sel ? Pourquoi ne pas se pointer à Paris, à Londres ou même à Saint-Lin, mais à l'heure du midi, pas à trois heures du matin ! Peut-être les extraterrestres pensent-ils que nous sommes plus civilisés endormis ?

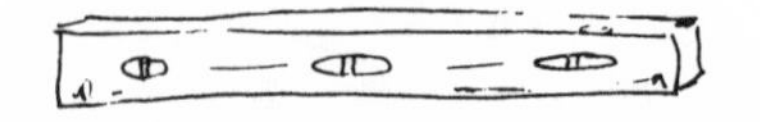

La mort (suite et fin)

Malgré tout, je trouve que la mort a un petit côté déprimant. Pour moi en tout cas. On a beau voir une lumière blanche au bout d'un tunnel, cela ne m'excite pas vraiment.

Le problème de la mort, en fait, c'est qu'elle est mal organisée. C'est presque une honte. J'ai un ami dont le cousin est mort, écroulé en plein souper, la face dans le bol de soupe. Franchement ! Je veux bien croire qu'il faut mourir, mais de là à disparaître comme un biscuit soda dans le plat de soupe... Wô ! Il y a des manières de faire mourir le monde, non ?

Par ailleurs, pourquoi tant d'éternité et si peu de vie terrestre ?

N'y a-t-il pas un certain déséquilibre entre 60-70 ans de vie charnelle sur la terre et des milliards d'années dans l'éternité du ciel ou de l'enfer, sans compter les quelques siècles au purgatoire ? L'idéal serait de vivre éternellement, en devenant amnésique à tous les 250 ans pour ne pas devenir blasé.

Le drame de la mort n'est pas tant de mourir que le fait de ne pas connaître l'heure et le « comment » cela va nous arriver. Ainsi, par exemple, savoir que je serais l'heureux étendu au salon funéraire demain, je m'arrangerais sans doute pour être plus avenant avec mon épouse ce soir. Qui dit même que je ne mettrais pas mon pyjama-lapin pour l'occasion ?

J'aurais bien sûr un peu de difficulté à m'endormir, mais qu'importe ? Même si je me réveillais trop tard demain matin, le pire qui pourrait m'arriver serait de mourir en retard, non ?

La ponctualité est, selon moi, ce qui différencie l'homme de l'animal. C'est vrai, avez-vous déjà vu un oiseau ou un guépard en retard ? En retard pour quoi, de toute façon ?

Les outils (suite et fin)

Le hobby maximum est, selon moi, les outils. Je dirais même que l'univers des outils se compare avantageusement à l'univers des planètes. L'avantage d'ailleurs de l'univers des outils sur celui des planètes est qu'il est infini, qu'il n'arrête pas de se développer : il est en expansion perpétuelle. La semaine dernière, par exemple, des chercheurs en outillerie ont inventé une barre à clous « carryable » : on peut la plier et la transporter avec soi. Les astronomes peuvent-ils en dire autant ? Lâchez pas, les gars, vous allez finir par servir à quelque chose !

Les objets, d'ailleurs, sont, de façon générale, des êtres formidables, car on peut s'y fier en toute accalmie. Comparez n'importe quel humain à un cadran, le cadran aura toujours l'avantage sur lui. Exemple : demandez à votre meilleur ami de vous réveiller à six heures du matin pendant quarante ans. En admettant même qu'il accepte, vous viendrez écœuré de lui voir la « bine ». Même chose pour votre perceuse : remplacez-la par votre épouse ou qui que ce soit et tentez de percer un trou de six pouces dans une planche de cerisier : vous allez peut-être y arriver, mais cela va vous coûter cher de diachylons, sans parler des frais d'avocat.

L'avantage de l'outil sur l'univers, et même sur l'homme à la rigueur, c'est qu'il *ne meurt pas.* Je trouve barbare d'ailleurs la coutume ancienne d'enterrer le défunt avec ses outils. Heureusement que cette pratique a disparu de nos jours, car il se gaspillerait beaucoup trop d'argent... et d'outils.

Imaginez s'il fallait enterrer les femmes avec leur lave-vaiselle ou leur machine à coudre. Même chose s'il fallait ensevelir les hommes avec leur *chain saw* ou leur tondeuse à gazon. Pourquoi pas avec leur char, un coup parti ?

Je dois par ailleurs remercier le bon Dieu pour cela : je suis entouré d'outils formidables.

Prenez Tom, mon tournevis à tête carrée : fiable comme un marteau, de poigne agréable, il n'a pas son égal au palmarès de mon coffre à outils. Il y a aussi Yvette, ma scie égoïne, et Sonia, ma perceuse à batterie, deux fidèles compagnes qui m'ont accompagné dans mes bricolages les plus novateurs. Je pense ici à ma série de peignes en acajou ou ma chaise berceuse en béton, que l'on n'a jamais réussi à monter du sous-sol.

Cette passion de l'homme pour les outils est, je pense, fondamentalement mâle. En ce sens, la femme répond à d'autres stimuli que l'homme. Placez un marteau devant une femme, il ne réagira pas. Faites le même test avec un homme et un tube de rouge à lèvres. Le tube sera aussi inerte que le marteau !

Chaque fois que je donne cet exemple, les gens semblent confus. Pourtant, il illustre à la perfection le vide de cette idée.

Si on me demandait de choisir entre ma femme et mon marteau, par exemple, je n'hésiterais pas une seconde : je me rachèterais un deuxième marteau tout de suite.

Éducation

Je crois énormément à la discipline avec les enfants. Lorsque ma fille Caro m'envoie chez le « bonhomme » ou « me faire cuire un œuf » par exemple, il me faut énormément de discipline pour ne rien dire. Si elle continue et me traite de « moule à poil », je dois presque mordre dans mon casque pour conserver un semblant de bonne humeur.

Curieusement, cependant, certains de mes enfants m'irritent le poil du casse plus que d'autres. C'est le cas de mon fils Rénald. Un simple « Allô ! » ou un « Je vous aime, Pepa » de sa part me fait dresser la barbe à 45 degrés ; je l'envoie aussitôt se friser avec des grenades ou se faire bronzer sur l'autoroute. Petit, il obtempérait, mais plus maintenant.

Je n'ai jamais eu par contre ce genre de problèmes avec Rod car, comme la plupart de mes amis, il me laisse tout à fait indifférent.

En réalité, si je me suis toujours tenu loin de mes enfants, c'est pour éviter qu'ils ne s'attachent trop et qu'au jour de mon départ pour l'au-delà ou ailleurs, ils ne demeurent inconsolables, surtout Rénald avec qui je pratique, sans effort je dois dire, la politique de l'amour froid.

La violence télévisuelle

L'homme est à la fois la créature la plus merveilleuse et la plus horrible parmi celles qui portent le dentier. Une journée, il peut cuisiner une bombe Alaska et le lendemain, en lâcher une sur Hiroshima !

Concernant la violence, justement, la seule théorie psychologique à laquelle j'adhère, tel un pneu à crampons, est celle qui énonce que l'être humain est un perroquet sophistiqué qui reproduit les comportements violents aperçus ici et là, mais surtout à la télévision. Il paraît qu'un enfant de huit ans qui écoute la télévision a déjà vu en moyenne 1 216 meurtres à la minute, ce qui a pour effet que, lorsqu'il tuera ses parents ou son dépanneur, il n'éprouvera plus aucun plaisir.

C'est pourquoi je suis contre la violence sous toutes ses formes, que ce soit au hockey, au curling ou encore à la pêche. Même chose pour la boxe : qu'attend-on pour éliminer les bagarres à la boxe ?

Concernant la criminalité, je pense qu'un bon moyen de dissuasion pour décourager les meurtriers et autres criminels serait d'enlever les appareils de culturisme et les salles de musculation dans les prisons.

Ces appareils leur permettent de devenir deux fois plus épeurants et sont davantage des incitatifs pour ceux d'entre eux qui n'ont pas de salle de musculature à la maison. Donnez-leur des salles de couture à la place : vous verrez la criminalité baisser de beaucoup ou, à tout le moins, des criminels qui confectionneront eux-mêmes leur cagoule !

Selon moi, nous sommes tous des anciens anges, sauf ma bru Lison qui serait plutôt une « ancienne limbe »....

Propos futuristes et immortels

Le jour viendra où l'homme, et la femme aussi sans doute, grâce à la science ou Dieu sait quoi – le Quick aux fraises transgéniques ? – parviendront à vivre quelques siècles, ce qui diminuera à coup sûr les taux hypothécaires, mais soulèvera également de nouveaux problèmes.

Imaginez quelqu'un qui vit jusqu'à 325 ans ! À quel âge prendra-t-il sa pension ? 225 ans ? Ce qui lui donnera environ cent ans pour jouer au golf ! Cela peut sembler agréable de prime abord, mais cela fait aussi beaucoup de monde sur les verts de golf ! Y aura-t-il assez de trous ? Faudra-t-il faire des parties de trois trous uniquement ? Ou des terrains de golf de 150 trous ?

Et que se passera-t-il si la vie se déroule dans les mêmes proportions qu'aujourd'hui, c'est-à-dire si l'enfance va de 0 à 45 ans, l'adolescence, de 45 à 112 ans ? Les parents vont assurément « virer » fous ! Imaginez-vous père de trois ados de 76, 89 et 104 ans ! Sans parler de votre femme de 187 ans, enceinte depuis 16 ans du quatrième à venir !

Pire encore : aurez-vous le goût d'être coiffeuse ou vendeur d'assurances pendant 163 ans ??? Et, surtout, marié avec la même femme pendant 225 ans ! Nul doute que la mort à ce moment-là sera une échappatoire intéressante ! Surtout avec le clonage. On peut même penser que le suicide remplacera le saut en bongee puisque, grâce au clonage, l'homme sera rendu quasi immortel.

Le clonage, d'ailleurs, sera probablement le moyen le plus économique pour divorcer ou échapper à l'impôt. Imaginez si l'impôt vous « pogne » après 312 ans de fraude ou que la simple vue de votre épouse vous fait grincher le dentier. Juste à vous passer la tête dans le blender pour ensuite vous cloner dans une autre ville et une autre époque, où vous pourrez recommencer les mêmes bêtises sans aucun problème !

La seule limite à se cloner et à se recloner sans arrêt arrivera le jour où le cloné se rendra compte que le problème, en fait, ce n'est pas la société ni son épouse mais que le gros bobo, en fait, c'est lui ! Pas si grave quand même, il n'aura qu'à consulter un généticien et demander un petit changement de chromosomes. J'en connais plusieurs qui gagneraient à être moins chromos !

La recette de la bonne humeur

Paul Newman, l'acteur vinaigrette, fait peut-être des milliards de dollars grâce à sa trempette de concombre, mais il est encore bien loin de la recette de la bonne humeur, recette que j'ai moi-même découverte en observant la joie de vivre et l'innocente plénitude du sourire de mon épouse Jaqueline. Quels sont les ingrédients qui lui procurent une telle bonheurerie ? J'en ai dressé la liste.

— 133 livres de gros bon sens ;
— un bon gros bonnet d'environ 13 pouces de tour (de tête autant que possible !) ;
— 2 tonnes d'innocence ;
— 65 kilos d'obéissance conjugale ;
— un soupçon ou moins de désir sexuel ;
— quelques pincées de grossesse (4 environ) ;
— une ou deux brassées de linge par jour ;
— un Ti-Mé d'âge mûr ou son équivalent (un colonel à la retraite ou un Mussolini de bungalow).

Mélanger le tout, sourire de ses plus beaux dentiers et tenter de contenter son Ti-Mé au maximum, car il ne faut jamais oublier que c'est dans le bonheur des autres qu'on trouve le sien. Je te souhaite donc de me rendre le plus heureux possible, ma chérie !

Les peuples indiens ou mayas

Il existe actuellement beaucoup trop d'idéalistes exaltés qui n'ont qu'un mot à la bouche : les Indiens ! Les « pauvres » Indiens que nous avons dénaturés et à qui nous avons castré le bison et le calumet de paix.

Quand je les entends, ces Géronimos amateurs, se pâmer sur le mode de vie antique des Hurons ou autres mangeurs de castors, j'ai envie d'ôter mes bas et de me les mettre sur les oreilles ! Tans pis si je pue du tympan ! J'aime mieux écouter l'odeur de mes doigts de pieds plutôt que de les entendre se pâmer sur Castor Ébahi, Carpe Velue ou un quelconque chaman de la prairie.

Parlons-en de ces fameux Indiens ! Facile de vivre en harmonie avec la nature quand on a ni char ni tondeuse, ni *chain saw* pour tailler sa haie ! Pire encore quand on a la haie sur le dessus de la tête !

« Les Indiens vivaient en harmonie avec la nature. Ils respectaient les arbres et communiquaient avec les oiseaux ! » Je parle bien avec mon char, moi ! Est-ce que je suis plus évolué pour autant ? Voyons donc ! Parler avec les oiseaux ! Quelle perte de temps ! Personnellement, je préfère apprendre l'espagnol plutôt que le « colibri ». C'est plus pratique quand on voyage au Mexique !

Et les arbres ! « Les Indiens vénéraient les arbres. Pour eux, chaque brin d'herbe était un être vivant ! » Méchant massacre quand je tonds mon gazon ! Imaginez la bande de Hitler qui se promène sur nos parterres. Voyons donc ! Quand je plante une fleur, ça ne veut pas dire que je lui casse la gueule. À ce compte-là, le verglas de janvier 1998 mériterait d'être traduit devant le tribunal international de Nuremberg.

À les entendre, les Amérindiens vivaient tellement en harmonie avec la nature que les arbres poussaient pour les remercier et les castors muaient pour les aider à s'habiller. Un peu plus et les chevreuils leur pondaient du fromage en crottes ! Franchement ! Un cap d'acide avec ça ?

Et que dire de ceux qui nous accusent de leur disparition ? Comme si les Indiens avaient été un troupeau de bisons pacifiques et sans reproche et nous, les Blancs, une bande de Buffalo Bill anthropophages, amateurs de gigots de Hurons et de côtelettes d'Abénakis.

Pauvres « ti-pouts » hurons, tellement sensibles. Ils n'étaient même pas capables d'assommer nos missionnaires avant de les faire cuire ! Quand on pense au père Brébeuf qui a cuit à « low » pendant seize heures, sans beurre moutarde en plus. Méchants cuisiniers !

Et les autres, là, ceux qui se plaignent de la disparition des Incas et des Mayas. Pourquoi pas celle des Atakas un coup parti ? Comme si un peuple disparaissait parce qu'il est trop évolué ! À ce compte-là, je serais disparu depuis belle lurette.

Selon moi, il ne faut pas virer fou avec les Indiens. Il ne faudrait surtout pas qu'ils oublient tout ce que nous leur avons apporté, et j'ai nommé la bière, les ascenseurs, et les réserves.

Toujours selon moi, les Mayas ne sont pas vraiment disparus. Ils se cachent en attendant l'invention de la roue ! Lâchez pas, les boys, ça s'en vient !

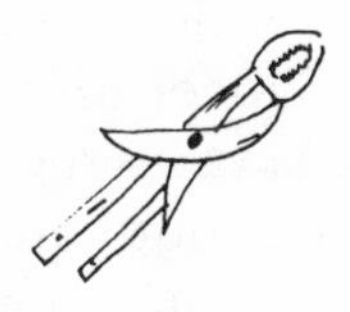

Utiliser les animaux

Être né ailleurs, j'aurais aimé naître Australien, kangourou pour être plus précis, non pas tant pour son côté boxeur que pour son côté rangement. Pensez à tout ce qu'il peut transporter comme outils dans sa pochette abdominale. Je suis surpris d'ailleurs que les menuisiers australiens ne l'utilisent pas davantage comme coffre à outils vivant, et surpris surtout que les kangourous ne pratiquent pas la menuiserie plutôt que la boxe.

En tout cas... Facile de critiquer, bien sûr, mais qu'est-ce qu'on attend, nous, pour utiliser les orignaux et leurs panaches comme patères ? J'en parlais à ma femme l'autre jour, elle m'a rétorqué : « C'est plein de bon sens, l'été on pourrait faire sécher tes sous-vêtements sur un panache d'orignal dans la cour. » Pourquoi pas ? Il est temps qu'on pense à utiliser la faune animale à des fins utilitaires.

Ainsi, par exemple, à la fin d'une soirée, au lieu de réveiller ses invités avec un café qui va les empêcher de dormir toute la nuit, pourquoi ne pas lancer un boa en plein milieu du salon ? Cela va les réveiller assez raide merci ! Un boa, ça coûte quoi ? Trente dollars de souris par année. Le café, lui : 300 piastres. Voilà !

Ce n'est pas pour me vanter, mais des solutions comme celles-là, j'en trouve cent à la douzaine. Qu'est-ce qu'on attend pour les appliquer alors ? Il n'y a qu'un obstacle à franchir, et cet obstacle il s'appelle ma femme Jaqueline, alias Miss Incrédule !

Psychologie ordinaire

Toujours selon moi, Simon Freud, l'inventeur des maladies mentales, aurait mieux fait de vendre des sofas que de faire coucher les gens dessus. Je n'ai rien contre les dépressions nerveuses ou les crises d'hystérie, mais je crois que l'on surestime grandement les dépressions et les burn-out.

Je ne crois pas que ces maladies existent vraiment ; ce sont davantage des excuses pour s'adonner sans remords au « flancmoutisme » ou au bien-être social. Il existe bien sûr des gens qui sont doués pour le suicide ou qui ont le moral dans les bas, comme on dit, mais à force de se renifler les pieds, on finit par puer du nez, non ?

Lorsque ma femme me reproche de manquer de psychologie avec elle ou avec mes enfants, je lui réponds toujours la même chose : « Je préfère manquer de psychologie que de beurre de pinottes, mon amour ! »

Cela dit, j'ai néanmoins tâté de la psychanalyse (quel nom en passant !) à l'aide de mes rêves. Or, s'il fallait que j'en croie les livres d'analyse de certains de mes rêves, je serais un être étroit d'esprit, névrotique, macho et retardé sexuellement. Un chausson avec ça ? Dommage que le livre ne dise pas comment se fabriquer une camisole de force.

Voyons donc ! Ce n'est pas parce qu'on fait l'amour en rêve à Jackie Kennedy qu'on est un Hervé Oswald ! Autre exemple de rêve malade selon Freud ou Jung : l'autre nuit, je rêve que je fais l'amour avec Marilyn Monroe qui est étendue sur une livre de beurre. Selon la psychanalyse de mon livre, cela signifie que je me considère comme une livre de beurre au lit. Or, comme le beurre augmente le cholestérol et que Marilyn Monroe est décédée, cela voudrait dire que j'ai peur de faire l'amour parce que cela va augmenter mon taux de cholestérol. Au secours !

Selon une certaine analyse psychologique commandée au CLSC par mon épouse, et qu'elle m'a offerte comme cadeau d'anniversaire, je serais un maniaque névropathe, autoritaire, à caractère dominateur et obsessif ! Voyons donc ! Un mâle, c'est un mâle : je ne suis quand même pas pour me sortir la testostérone du système ni me mettre les testicules dans un tiroir.

Franchement, quelle taille votre camisole de force, Mr. Neil Jung ?

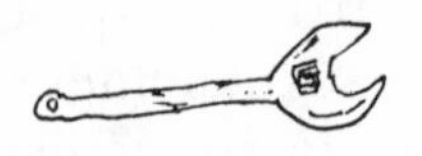

Psychologie féminine

La femme fonctionne énormément de façon psychologique. Dire à une femme qu'elle est jolie, c'est un peu comme arroser une plante.

Essayez voir. Dites à votre femme : « Salut, mon homme ! » ou « Grouille, j'ai faim ! », vous n'obtiendrez pas grand-chose en retour, à peine un pot de confitures par la tête. Dites-lui par contre : « Hello, ma belle punaise ! », une tarte aux pommes vous accueillera pour souper avec le sourire aux lèvres.

L'homme se nourrit de défis ou d'outils ; la femme, elle, de compliments. Trop la complimenter, par contre, peut la rendre obèse dans son *soi.* Les femmes sont ainsi faites : flattez-les dans le sens du poil, elles se le raseront pour vous...

Le mâle masculin, lui, fonctionne davantage sur un mode répétitif : il aime se faire dire et redire les choses. La femme n'a qu'à lui répéter cinquante-sept fois en une heure qu'elle veut qu'il ramasse ses outils ou ses bas, il obtempérera aussitôt, car l'époux est ainsi fait. Il aime semer des pistes pour signaler sa présence, comme laisser ses souliers au milieu du salon ou ses bas sur le frigo.

Le jour où la femme aura compris cela et les ramassera en silence, elle aura fait un grand pas dans ma tête et dans la sienne.

Voilà !

Les voyages

J'adore voyager, même à l'étranger, mais le fait est que je n'aime pas qu'on me parle ou qu'on me regarde dans une autre langue, car étant plutôt prime de nature, j'aime bien avoir les outils linguistiques nécessaires pour « fermer la trappe » à mon interlocuteur.

Qu'attend-on pour publier un dictionnaire international de l'insulte ? Cela permettrait à tous et chacun de voyager à l'aise et aiderait sans doute l'humanité à se défouler par le biais de l'insulte plutôt que par celui du nucléaire. Personnellement, je préférerais de beaucoup un « va chez le yable... » en arabe, que je ne comprends pas d'ailleurs, à un bataillon d'islamistes en furie dans mon salon ! Pas vous ?

Je sais que, à défaut de vocabulaire, on peut toujours s'en tirer en pointant le majeur vers le haut. Mais c'est là une arme dangereuse, surtout quand on voyage en Turquie ou dans un pays « sodomilitaire ».

Je dois confesser aussi qu'en voyant les touristes étrangers se pâmer comme des débiles allégés sur nos maringouins ou nos bancs de neige, j'aurais peur de faire comme eux et de m'évanouir devant la tour Eiffel ou d'avoir une érection devant la Vénus de Milo ou le Penseur de Rodin !

Je suis convaincu qu'on exagère grandement la beauté de l'étranger. C'est bien beau, le mur de Chine, mais les rapides de Lachine valent autant sinon plus le détour, à mon avis ! En passant, messieurs les Mao, vous essaierez de faire du rafting sur votre muraille !!!

Cela dit, je n'haïs pas réellement l'Europe, mais je suis tellement habitué à l'heure d'ici que j'aurais de la difficulté à vivre six heures plus tard, surtout quand l'envie de gueuler après quelqu'un me prend ! De plus, apprendre l'accent français m'intéresse plus ou moins.

Pour ce qui est des autres pays européens tels la Grèce, l'Italie ou le Vietnam, je me vois très mal débarquer parmi leurs ruines, moi qui veux toujours réparer ce qui est brisé ou trop usé.

Juste réparer l'Acropole, j'en aurais au minimum pour deux à trois mois, non ? Je veux bien apporter ma superbe contribution à l'humanité, mais avant de restaurer les ruines romaines, je vais commencer par rénover celles de chez nous, n'est-ce pas, ma chérie ? Cela, il va de soi, est un calembour conjugal.

La culture

Même si mon allure prétend le contraire, je suis un homme d'une grande culture. La culture est une chose que j'ingurgite comme d'autres avalent du jello. Côté lecture, par exemple, je lis tout ce qui me tombe sous la main. Un coup mal pris, je peux même lire ma montre. Ce matin, privé de journal, j'ai lu trois fois les informations sur la boîte de céréales. Une de mes meilleures lectures à vie, d'ailleurs, demeure l'endos d'un dîner surgelé : la dinde aux épinards, seulement 300 calories en plus ! Comme quoi il y a moyen de se nourrir l'esprit sans se faire enfler la tête.

Les quiz télévisés sont un autre stimulus extraordinaire pour le cervelet.

« Qu'est-ce qu'un navet ? »

Cette question en guise de réponse à « Je suis un légume qui sert à dénigrer » illustre à merveille ma pensée : les jeux télévisés nous stimulent souvent davantage qu'un Balzac ou un Hector Hugo.

Je ne veux pas dire que ces gars-là sont des deux de pique sur le plan culturel, mais j'ai lu l'autre jour la page 367 des *Frères Kharlamov* de Dostoïevski, et je ne l'ai même pas lue au complet tellement je trouvais cela sans intérêt. C'est là le handicap d'un livre face à un quiz : on peut commencer à écouter un quiz en plein milieu sans être jamais perdu. Mais commencez à lire un livre par son milieu, vous ne comprendrez rien, à moins de l'avoir lu auparavant. C'est ce que je fais depuis des années d'ailleurs : je lis des livres que j'ai déjà lus, cela exige moins de concentration.

Même chose pour la musique, qu'elle soit classique ou dansante. Je ne crache pas sur un bon Bitoven ou un Bach à l'occasion, mais quand vient le temps de me détendre réellement le tympan, rien ne vaut la musique thème de l'émission *Sciez-le vous-même.* Et pour le ballet-jazz, sport que je pratique en pantalon de ski, j'apprécie la musique de l'émission *Les Incorruptibles.* Ma femme prétend que j'ai le jeu de jambes d'Eliott Ness.

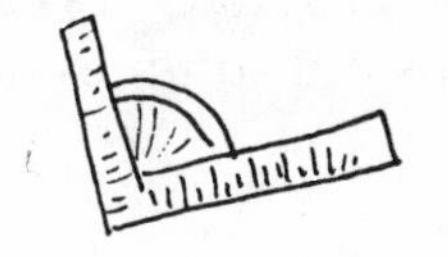

Les génies méconnus

Il existe à mon sens énormément de génies mécaniques mais encore davantage de génies méconnus. C'est bien beau inventer l'atome ou des microbes, mais où serait-on aujourd'hui sans celui ou celle (je serais très surpris que ce soit une « celle ») qui a inventé la « flye » de pantalon ? Et que dire de l'inventeur du « Traction Aid » ?

Niaiseux comme question ? N'empêche que je préfère de beaucoup un atome de « Traction Aid » quand mon char est pogné dans un banc de neige.

Même chose côté musique : *Frère Jacques*, *Joyeux anniversaire*, *Bonhomme, bonhomme, sais-tu jouer...*, autant de chansons superbes et célèbres qui ont traversé les calendriers au même titre que les symphonies et les quartets de Mozart, Bach ou Liberace. Pourquoi alors Bach passe-t-il pour un génie et Frère Jacques pour un innocent ?

L'Histoire serait-elle snob ?

Voilà le genre de questions qui peut me faire ouvrir une bouteille d'aspirine et ce n'est pas la seule. Sont-ce les Chinois qui sont bridés ou nous qui sommes débridés ?

Palmarès de la mort idéale

Même si je trouve cela ennuyant, il m'arrive régulièrement de penser à la mort, surtout à la mienne. J'ai même établi mon palmarès de la mort idéale :

N° 1 : Mourir en gagnant la loto : je meurs millionnaire et mes enfants héritent de un million. Ma femme meurt de joie elle aussi !

N° 2 : Mourir dans mon sommeil en rêvant que je conduis mon char. Seul inconvénient : arriver au ciel en pyjama.

N° 3 : Mourir endormi au volant : cela ressemble à mourir en rêvant que je conduis, avec l'avantage d'arriver au ciel habillé.

N° 4 : Mourir alors que je marche dans la rue et que je reçois une météorite ou la navette Columbia sur la tête. Avantages : mort instantanée et célèbre ; pas obligé de s'occuper du corps.

N° 5 : Mourir de rire pendant que je fais l'amour : peu probable.

N° 6 : Me faire frapper de dos par un dix roues juste au moment où je traverse la rue et que je ris seul d'une vieille blague. À quoi bon gaspiller une nouvelle blague ?

N° 7 : Me rentrer la perceuse dans le front tandis que je bricole. Avantages : mort active et personne n'oserait se servir de ma perceuse par la suite.

N° 8 : Me faire désintégrer par un extraterrestre dans mon sommeil. Désavantages : mort non sérieuse, et surtout, j'ai déjà payé mes frais d'incinération.

N° 9 : Exploser de joie : salissant.

N° 10 : Écrasé par ma femme qui recule mon char en cachette alors que je suis étendu dessous et que je lave mon muffler.

Mourir : trouver la paix intérieure et extérieure.

LE VIAGRA OU « VITAGRO POUR HOMMES »

En 1969, la science débarquait sur la Lune. En 1999, elle débarque dans nos culottes ! Bravo, Monsieur l'humanité ! Belle évolution !

J'ai moi-même, par simple curiosité médicale de mon épouse, fait l'expérience du Viagra. Laissez-moi vous dire que j'en ai eu pour *son* argent. Il faut dire qu'au moment où la pilule a fait effet, j'étais en plein Canadian Tire, occupé à discuter « cap de roue » avec un vendeur. Je sentis alors, sans avertissement, un violent désir de m'acccoupler avec le cap de roue en question ! Un peu plus et je faisais l'amour à la nouvelle tondeuse Black&Decker à ma gauche, mais je réussis à me contrôler. Après avoir frenché la tondeuse, je me faufilai deux pneus d'hiver autour du bassin, question de dissimuler ma virilité, et me présentai à la caisse en prétextant que je m'entraînais pour une compétition de Hou-la-houp à crampons.

Je sortis dehors excité comme un VTT en rut. Tellement excité en fait que je ne pris pas la peine d'enlever les pneus avant de m'asseoir dans la voiture. Dix secondes plus tard, les pneus dans le front, je fonçai dans une autre voiture. Le conducteur, un octogénaire gaga, râlait de plaisir dans sa voiture. Lui aussi était sur le Viagra. Il me proposa même un constat à l'amiable, mais je refusai, conscient des dangers d'un tel constat sur le Viagra.

J'arrivai enfin chez moi, le pantalon dans le plafond. Pour ne pas éveiller les soupçons, je roulai sur la pelouse jusqu'à la maison. Je n'en pouvais plus, émoustillé et fringant comme un troupeau de veaux au printemps.

Je regardai l'érable de la cour comme jamais je ne l'avais regardé, avec désir et sensualité. Heureusement pour lui, mon épouse Jaqueline arriva, les bras chargés de sacs d'épicerie.

J'explosai et je sautai sur un de ses sacs. Ma femme me regarda, ébahie et admirative. Elle réussit de peine et de misère à m'arracher à un whippet avec qui j'étais sur le point d'engager un kâma sûtra. Je me tournai alors vers elle et, à la vue de son visage, toute envie charnelle me quitta. Je n'avais plus qu'un désir : ranger la commande. Ce que je fis tandis que mon épouse, apparemment déçue, me traita de queue de cerise.

Une heure plus tard, je montai rejoindre ma tendre moitié qui boudait dans la chambre. Lorsque j'ouvris la porte, elle gisait sur le lit, déguisée en whippet géant. J'en fus tellement excité que je lançai mes Viagra par la fenêtre. Le chien du voisin, surnommé César, les avala. Lorsque je sortis dehors un peu plus tard, il faisait l'amour à mon cap de roue.

En terminant, je ne poserai qu'une question : à quand l'invention du « Via-bras » pour ceux qui, à cause d'une tendinite, ont de la difficulté à lever le bras ?

Merci.

La physionomie des faces

Je n'apprendrai rien à personne en vous disant que le visage de quelqu'un est souvent révélateur du caractère de celui qui le porte. Il est d'ores et déjà prouvé, et ce depuis des décennies criminelles, que les fronts bas avec nez larges cachent des brutes prêtes à tuer pour le plaisir de la chose. L'étrangleur de Boston, le sécateur de Dolbeau et le chatouilleur de Berlin-Est, autant de criminels notoires dont le faciès, eût-il été observé au préalable, aurait à coup sûr dénoncé la perversité de leur utilisateur.

Des recherches morphofaciales menées par la criminologie ont abouti à des conclusions fort précises sur les faces de tueur, de malade sexué ou de tricheur au parchési, ce dernier souvent reconnaissable à son bonnet ! Sans vouloir être humble, je dois dire que je suis moi-même passé maître au jeu de deviner la signification des traits.

J'ai remarqué, par exemple, que les gens aux cheveux roux avaient de fortes tendances à mentir et à fouiller dans le frigo des autres alors que les blonds « frisés serré » sont davantage portés à me taper sur les nerfs et surtout à s'inviter à souper le dimanche soir. Je ne dirai rien d'une certaine bru qui

ALBERT EINSTEIN

HELL'S EINSTEIN !!

a la boîte à lunch plutôt large (je veux dire la tête), mais que Dame Nature a dotée d'un tout petit lunch.

Il est par ailleurs étonnant de constater à quel point un simple détail morphologique peut transformer la personnalité de quelqu'un. Si Einstein, par exemple, avait porté le pinch et des verres fumés, il aurait pu facilement se retrouver chef des Drug Machines ou d'un gang semblable !

Et que dire de Mike Tyson ? Brute galonnée de la boxe... sauf que, mettez-lui un petit nez rond, il devient clown chez McDonald et mord dans un Big Mac au lieu de mordre dans une oreille ! Sapré Mike ! Sa blonde ne doit pas aimer se faire mordiller l'oreille.

En termimant, je vous propose un petit test : quel air aurait eu Dieu s'il avait porté un casque de corduroi et des lunettes noires ? Je vous laisse deviner...

Fascinant. Non ?

Ti-Mé!
Dieu

Si

Si... Si j'étais plus riche... Si j'étais plus beau... Si j'avais la blonde de René Angélil... Si j'étais le compte en banque de Mario Lemieux, le cerveau de Heinz... C'est quand même pas un épais qui a inventé le ketchup !

Si, si, si...

Si, si, si bien sûr... mais il y a aussi d'autres *si*.

Si j'avais la bédaine de Pavarotti, le dos de Mario Lemieux... le tympan de Bitoven.

Comme le disait si bien mon ami Mozart, « chaque *si* a son bémol ».

Il n'en demeure pas moins que plusieurs *si* hantent mon esprit, surtout celui relatif à la frontière canado-américaine, car *si* le pas finfin qui a négocié au nom du Canada avait été un peu moins naïf, eh bien, Montréal s'appellerait peut-être Miami aujourd'hui. Pierre Bourque serait probablement un Noir et Maurice Richard aurait été joueur de basket. La Nouvelle-France s'étendait jusqu'à la Floride, à un moment donné. Qu'est-il arrivé ? Comment se fait-il qu'on ait perdu Plattsburg et Old Orchard ?

J'imagine la gang de négociateurs américains assis en face de notre ti-clin canadien, sa tuque « su'a tête », en train de négocier la frontière canado-américaine.

U.S.A. : We give you une caisse de douze and you give us la Floride and la côte est.

TI-CLIN : Are you « crézi » ? Une caisse de douze ? Nèveure ! Deux caisses de douze or rien pantoute.

U.S.A. : O.K. deux caisses. But you give us le Vermont itou !

TI-CLIN : Deux caisses ? O.K.-dou ! Put it dedans !

LE PRÉSENT N'EXISTE PAS

Vivez le moment présent. Profitez du moment présent. Soyez dans le moment présent.

On n'arrête pas de nous gâcher les oreilles avec ce fameux « moment présent ». Psychologues, stressologues, pseudo-philosophes, néobouddhistes, on ne cesse de nous agresser le tympan avec ce concept.

Avez-vous déjà essayé pour le fun de le vivre, ce moment présent ? Im-pos-si-ble ! À chaque fois que vous essayez d'arrêter le temps et de vivre pleinement une seconde, elle est déjà passée ! Moi-même, je ne peux en ce moment savourer la moindre voyelle que j'écris. À mesure que j'en *écris* une, elle est *déjà écrite* !

Tout cela m'amène à me rendre compte d'une chose : *le présent n'existe pas.* La preuve ? Essayez de savourer *réellement* une bouchée de lasagne. Dès que vous commencez à savourer le goût de tomate, c'est le goût du fromage qui vous envahit, puis déjà celui de la fourchette ! Vous aurez beau prendre deux mois pour manger votre lasagne, le temps passera quand même, et en plus votre lasagne sera froide. Même chose lorsque l'on fait l'amour, surtout pendant deux mois. Je vous le dis : le présent existe à peine.

Le passé, par contre, existe énormément Il grossit à chaque seconde. L'avenir, lui, existe peut-être, mais de façon hypothétique. C'est vrai : qui vous dit que tout ne s'arrêtera pas maintenant ? Dur pour la tête, non ? Dur aussi pour celui qui met tous ses espoirs dans son programme Liberté 55 !!!

Autre constat : tout le monde dit que le temps passe trop vite, qu'on n'a le temps de rien faire. À ces chialeux-là, je dirai ceci : le meilleur truc pour trouver que le temps passe lentement, c'est de s'emmerder ! Emmerdez-vous ! Écoutez la télé au poste libanais... Refaites votre puzzle de Benji 316 fois en ligne... Devenez prisonnier en Bosnie... Vous allez voir : votre vie va durer une éternité !

Un tel constat nous donne des petites envies de réécrire la *Théorie* de Kant ou d'interdire *La Mélodie du Bonheur*, mais le plus simple à mon avis est de garder sa montre serrée dans son tiroir et de retarder ses préarrangements funéraires en se disant que mourir en retard n'est pas si grave puisque, de toute manière, on n'a pas réellement le temps d'en jouir.

Ce genre de réflexions m'assaille généralement après mon cinquième café et, je l'espère, une cinquantaine d'années avant ma mort.

Note à moi-même : je suis profond mais pas vraiment équipé pour aller si creux.

Les animaux et le jugement

Le jugement est une autre caractéristique de l'être humain. Heureusement que les animaux, privés de la capacité de discernement moral, n'ont pas à faire preuve de jugement. Imaginez si les cochons, les volailles ou les bovins étaient dotés de libre arbitre en ce qui a trait à la boisson ou à la drogue. Dans quel marasme serions-nous plongés ?

Je ne dis pas que toute la basse-cour plongerait illico dans les stupéfiants, mais imaginez un instant une douzaine de porcs sur le LSD, un bœuf cocaïnomane ou un champ de vaches alcooliques. Quel lait boirions-nous alors ? Du Tia Maria écrémé ? Et que boufferait-on comme viande ? Du steak coké ? Du rôti de porc sur l'ecstasy ? Ce ne sont là que quelques heureuses catastrophes auxquelles seul votre humble serviteur a pris la peine de penser.

Suis-je trop lucide ? Extra-lucide ? Je n'ose même pas en douter. Lorsque de tels éclairs de conscience m'assiègent en présence de mon épouse, elle a beau me traiter de malade mental, je sens dans ses quolibets une pointe d'angoisse aussi certaine que la pointe de l'iceberg qui égratigna jadis un dénommé *Titanic*. Quelle image ! Merci, mon Dieu, d'avoir inventé la littérature écrite.

Bienvenue chez nous messieurs les voleurs

S'il est une chose que j'anticipe avec joie et horreur, c'est bien la visite d'un voleur chez nous. Laissez-moi vous dire qu'il sera bien reçu, car j'ai mis au point un système antivol conçu pour annihiler non seulement le vol mais le voleur lui-même. Il s'agit d'un système non pas électronique, mais chimique, en ce sens qu'il dissout complètement celui qui s'y frotte.

Voici donc à l'endroit d'un visiteur illicite quelques détails à mémoriser avant de pénétrer par effraction chez moi !

Première chose : attention aux portes, car qui ouvre une certaine porte reçoit sur-le-champ un sabre dans la gorge ! Je passe sous silence la chambre à coucher, toute minée évidemment. Même chose pour le frigo. Un ressort spécial retient un rôti de porc congelé : si on ouvre la porte du frigo sans faire le code, le rôti vous arrive dans le front à 235 km/h, vitesse idéale pour vous décaper le front et l'osso buco nasal.

Aussitôt lancé, le rôti de porc active le système de son qui fait jouer à tue-tête le *Concerto pour cheveux mous* de Rickie Abel. Des rats à qui on a fait écouter cette musique en laboratoire ont même appris le français pour demander grâce. Si vous avez encore assez de courage ou de folie pour vous rendre au salon, vous serez accueilli par une douche d'acide nitrique sur la tête, tandis que le sofa se fera un plaisir d'exploser sous vos reins tout en dégageant un gaz mortel, une nouvelle variété de sarin.

Détail encourageant : un masque à gaz est caché dans la garde-robe du salon. Seul petit hic, le masque est imprégné de crazy glue ! Mais une fois rendu là, vous serez bien content de l'avoir collé au visage, vous en aurez besoin pour un petit bout et cela vous permettra de subir les électrochocs du tapis sans trop sentir vos pieds qui brûlent ! Et je ne parle pas ici des deux rames de canot habilement dissimulées qui vous aplatiront le front à 387 km/h (cela vous rappellera un certain rôti de porc) dès que vous ouvrirez un certain placard ou une certaine porte de toilette.

Ah oui : évitez d'aller à la selle pendant votre séjour illégal, même avec le masque collé au visage ! Vous risquez d'avoir de la difficulté à vous relever : crazy glue sur le siège de toilette, sans parler de ce qui s'agitera dans le bol une fois assis dessus, vos hémorroïdes auront les dents blanches après coup !

Évidemment, je passe aussi sous silence ce qui vous attend dans *mon* établi. Juste à y penser, j'en ai des frissons. De telles précautions tiennent à mon avis de la démence. Il m'est arrivé de pleurer à chaudes larmes en imaginant le pauvre voleur. Pensez seulement à 1 250 clous de six pouces qui foncent sur vous à la vitesse du son (au son de Rickie Abel toujours !)... Et ce n'est que l'apéro ! Je ne veux rien dire de mon système de marteaux téléguidés.

Chain Saw Massacre est un spectacle réjouissant, presque du Mary Poppins comparé à ce qui attend celui qui osera pénétrer dans mon lieu sacré.

Et qu'on se le tienne pour dit : je n'ai moi-même aucun moyen d'arrêter mon système de défense une fois qu'il est en marche, car j'ai promis par affidavit notarié de ne jamais interrompre mon système, même si c'était moi le voleur !

Bonne chance.

Trop aimer ses vidanges

Bien souvent pour ne pas dire davantage, ma femme et ma fille me reprochent de trop aimer mes vidanges ! Voyons donc ! Halte là, mesdames ! Comment peut-on trop aimer un objet ? Vous sentez-vous en compétition avec nos chars ou nos chamois ?

Est-ce que le fait d'aimer moins mes vidanges me ferait aimer davantage ma femme et ma fille ? Jamais dans cent ans ! Même pas dans six mois.

Admirer un documentaire sur les maillots de bain féminins m'empêche-t-il d'aimer la messe télévisée ? Je pense qu'enfoncer encore plus le clou serait du sadisme argumental.

Si je ne me retenais pas, j'irais même jusqu'à dire qu'aimer une épouse n'empêche nullement d'en ... une autre, mais jamais je ne voudrais m'avancer sur un terrain si mou. Je préfère m'entendre dire à ma femme que si je ne veux jamais aller ailleurs, c'est parce que je l'aime trop. Encore samedi soir dernier, alors que je bricolais dans mon atelier au sous-sol, mon épouse insistait pour que je vienne la rejoindre au salon.

— Pourquoi tu ne viens pas me rejoindre en haut ? me lance-t-elle.

— Parce que je t'aime trop, mon amour, je ne veux pas aller ailleurs !

TESTAMENT

S'il devait m'arriver, pour une raison ou pour une autre, de décéder un jour, j'ose espérer que mes heureux légataires feront preuve de décence au moment de s'arracher mon stock de camisoles et mes trois clous de six pouces. Concernant donc le bagage accumulé au cours de mon passage sur terre, je le répartis comme suit :

Je lègue ma bonne humeur proverbiale à Jaqueline, mon épouse éplorée et qui, je le souhaite, n'oubliera pas de fermer la mauzusse de lumière du poêle qu'elle laisse toujours allumée lorsqu'elle va se coucher, ce qui nous occasionne un coût additionnel de 96 cennes par mois. Je lui lègue aussi l'ordre de faire sonner le système d'alarme quand elle sort prendre une marche. C'est assurément le meilleur moyen d'éloigner les voleurs.

Je lègue mes dentiers à Rénald en espérant que cela l'aidera un peu à fermer sa grande gueule ! N'oublie pas, Rénald, de les laver comme je le faisais moi-même, c'est-à-dire à la *hose* avec un soupçon de gros sel ou de Mister Shine. Je lui lègue également tous mes bas de coton âgés de deux ans ou plus et les négatifs de mes radiographies pulmonaires.

Je lègue à Rod le proverbe japonais qui m'a guidé tout au long de ma vie : *Ashi no muku mama ni.* Il le traduira lui-même, je n'ai jamais eu le temps de le faire. Je lui aurais bien légé mon cerveau, mais, comme dirait l'autre, nous n'avons pas la même pointure de casque !

Je lègue à ma fille Thérèse toutes mes blagues salées et à Caro tous mes vœux de mariage. Je suis certain qu'elle finira par trouver un type assez charitable pour l'épouser, car sous ses dehors de gorille en jupon se cache un pitbull au cœur sensible. Heureux, la brute qui saura gagner ses faveurs.

Je lègue ma casquette en corduroi à Tom Cruise en espérant qu'il la portera dans *Top Gun 3.* Je lui cède également ma barbe et mes lunettes au cas où Hollywood déciderait de tourner l'histoire de ma vie : *L'homme qui parlait à ses pneus.*

Je dédie mes gants au bras canadien et ma voiture au Dalaï-Lama, le seul être vivant capable de la conduire avec autant de sagesse que moi. Je lui interdis cependant de l'utiliser au Tibet car elle chauffe trop dans les côtes. Merci, Dalaï ! Elle prend de la 10-30 et le piton de la porte arrière est difficile à lever. Peut-être réussirez-vous à le faire lever avec un peu de « lévitation à piton ? »

Je donne mon corps à la science pour une période de vingt minutes, après quoi elle devra le faire congeler à côté de celui de Walt Disney ou d'un Mister Freeze à l'orange. Je désire qu'on me dégèle le jour où on aura trouvé le remède aux chicanes de couple. J'ai l'impression que je vais dormir une couple d'heures avant de dégeler !

Je veux aussi dire à ma belle pantoufle d'amour de Jaqueline que je l'ai aimée autant que n'importe quel homme aime sa femme, c'est-à-dire beaucoup à certains endroits, très peu à d'autres. Sans toi, ma vie aurait été un long calvaire pour moi et pour les autres. Grâce à toi, elle n'en aura été un que pour les autres.

En terminant, si jamais Dieu existait, je lui demanderais de me faire signe quelques secondes avant mon décès. Cela m'aiderait à esquisser un sourire lors du « décollage ».

Bye-bye !

La Terre est-elle une déesse sur Vénus ?

Le plaisir de ne pas être une belle femme

Lorsqu'il m'arrive pour une raison ou une autre de regarder par hasard une jolie femme, que ce soit à la dérobée ou à la télévision, je la plains souvent, car à voir les images qui pourraient me passer par la tête, je me dis que l'homme est encore loin de l'idéal asexué de certaines féministes.

C'est là d'ailleurs une des raisons qui ont fait que j'ai toujours refusé d'être une jolie femme. Mon apparence personnelle en est une autre.

Ursula Undress, Brigitte Bordeaux ou Isabelle Armani, autant de canons charnus qui stimulent chez l'homme la pomme d'Adam et ce qui la sécrète. Non pas que les Sophia Loren de ce monde éveillent en moi le cri de la baleine mâle, mais elles me titillent autre chose que le poil du gros orteil.

Que voulez-vous ? Le mâle humain est ainsi fait : la vue d'une créature de race féminine le moindrement roulée ne peut que lui exciter l'hémisphère spino-central ou le pendentif génital.

On ne peut rien contre la beauté féminine et je suis certain que les rapports entre sexes différents varient beaucoup suivant justement le faciès (pour ne pas dire le fessiès) de celle qui nous parle.

Simone de Beauvoir eût-elle eu la chute de reins de Raquel Welch, son Jean-Paul de Sartre l'aurait amenée discuter à la plage plutôt qu'à la Sorbonne. *Les Mains sales* se serait probablement intitulé *Les Mains pleines*.

Mais la raison principale pour laquelle je n'aurais pas voulu être une jolie femme, c'est : où est le plaisir à être une belle femme ? Pensez-vous que Madonna passe ses journées à se regarder toute nue dans son miroir ? Non. Le plaisir d'être une belle femme revient toujours à ceux qui la regardent !

Excusez-la !

Être une jolie femme apporte certains avantages comme pouvoir épouser un millionnaire ou s'habiller dans les boutiques dernier cri (Ayoye ! C'est cher !), mais cela ne m'exciterait pas davantage. D'abord, je n'ai aucune envie d'épouser Howard Hughes – encore moins depuis qu'il est mort – et pour ce qui est du luxe vestimentaire, la section « linge » de Canadian Tire n'a vraiment rien à envier à aucune boutique d'Hollywood.

Journal de voyage

Nos vacances à Hampton Beach, 1er juillet 1963.

4 h 40 a.m : Sonnerie du cadran.

4 h 41 : Sonnerie de mon alarme intérieure. Prise de conscience : j'allais faire le voyage à Hampton Beach avec mes pneus neufs !

4 h 41 min 30 s : J'informe mon épouse que, par souci d'usure, je refuse de faire le voyage avec mes pneus neufs... Je voyagerai en autobus et elle sur le pouce avec les enfants.

4 h 42 : Ma femme pète un *breaker* et me traite de malade mental.

4 h 43 : Le malade mental (comme elle dit !) annule le voyage. (NOTE : Ma femme n'est pas prête psychologiquement à prendre des vacances : pas assez au bout de son rouleau sans doute.)

4 h 44 : Ma femme et les enfants sortent dehors crever mes pneus de char. Raison de plus pour ne pas partir !

4 h 45 : Je ronfle à nouveau malgré la mutinerie familiale qui prend la forme de cuillerées de confiture et de poignées de Nutella qu'on me lance à la figure.

Comme disait Marcel, un de mes amis très bien décédé : « La raison a des raisons que la raison ignore. » J'ajouterais à cela que « les épouses ont des raisons qui s'ignorent... avec raison ! ».

Nos hôpitaux... (au secours ! ! !)

À voir ce qu'on entend sur nos hôpitaux, on peut se demander s'il ne vaut pas mieux arriver mort lorsqu'on y va, sauf bien entendu si on va visiter un ami malade.

Un de mes amis récemment « presque décédé » – que j'appellerai Roger pour taire son vrai nom – me confiait comment un hôpital avait réussi, lors d'une simple visite pour la grippe, à lui amputer la prostate. Ébranlé par cette ablation inutile, il est devenu dépressif. Diagnostic : on décide de lui amputer l'hémisphère gauche du cerveau ainsi que le testicule droit, son favori.

Révolté, Paul – je veux dire Roger – entreprend une grève de la faim. On en profite pour lui enlever l'estomac. Durant l'opération, cependant, le chirugien oublie ses ciseaux dans l'intestin grêle. On l'opère une deuxième fois pour récupérer les ciseaux, qui valent cent cinquante dollars, lui confiera le chirurgien pendant l'opération, car il avait oublié de l'endormir. Encore une fois, manque de pot ou vengeance du médecin : on lui enlève les amygdales et on lui greffe une luette de bœuf à la place, pour prévenir un rejet éventuel de greffe cardiaque, greffe qu'il n'a jamais eue. Se rendant compte de leur erreur, les médecins décident donc de lui greffer un nouveau cœur. Comme ils ne trouvent aucun donneur, ils lui greffent un cœur de truie.

Autre erreur tactique : on lui fait une transfusion de V8 au lieu d'une transfusion de sang. Paul-Roger contracte alors une maladie inconnue, la « céleriite » : des branches de céleri lui auraient poussé au bout du nez. Au sortir de la greffe, et sans raison apparente, Paul (Dubuc) devient psychotique. Au lieu de lui administrer du Prozac, cependant, on lui administre de la cocaïne. Paul-Dubuc-Roger sort donc de l'hôpital amputé, cardiaque, mi-truie et cocaïnomane, tout cela à cause d'une mauvaise grippe.

La semaine dernière, Paul-Roger-Dubuc (345-0986) est revenu chez lui ; même s'il sentait un peu les « chops de porc » et le céleri, il commençait à reprendre goût à la vie quand il a reçu un colis de l'hopital accompagné d'une lettre lui expliquant qu'on lui renvoyait son coccyx et son testicule gauche, enlevés par erreur.

C'est son épouse Rogère (pour taire son nom elle aussi) qui en fait m'a raconté la mésaventure de Roger, disparu depuis. Quand elle lui a demandé où il allait avec sa 303, il aurait répondu « me chasser un ministre. »

Il faut vraiment être malade pour aller à l'hôpital de nos jours !

L'INUTILITÉ DE LA VIE

Sur ma liste des « Choses inutiles de la vie », la réussite occupe bien souvent la première place. Prenez, par exemple, une Madonna ou un Bill Clinton. De prime abord, ces deux célébrités semblent plutôt choyées par l'existence. Or, si on y regarde de plus près, on se rend compte que ces deux lascars sont à mille lieues du dénommé « bonheur ».

Pourquoi ? Pourquoi Madonna se promène-t-elle ainsi d'un amant à l'autre ? Pourquoi passer ses journées à nous provoquer avec ses attributs en silicone ? N'est-ce pas là une forme d'appel au secours ? (En passant, elle peut me joindre sur mon paget.) Ne serait-elle pas plus heureuse à concocter un macaroni au fromage pour Brad Pitt ? Brad qui, à mon avis, aurait le physique idéal pour jouer dans *Les Machos* à TVA et s'éloigner ainsi de l'enfer hollywoodien.

Qui fait une plus belle vie ? La fille du dépanneur de Tahiti qui est élue duchesse du carnaval du Bambou, ou Miles Davis qui remporte le concours de la chanson de Granby ? Excusez-moi, mauvais exemple...

Une fois assis sur son lit de mort, lequel a davantage réussi sa vie ? Le Bolivien qui a mâché des feuilles de coca toute sa vie, ou la rock star qui s'en est rentré dans le nez tout ce temps-là ? Difficile à dire ! Le bonheur réside probablement entre les deux, c'est-à-dire dans un bungalow semi-détaché à Brossard avec une Madonna au fourneau et un Brad Pitt à la tondeuse.

On a beau passer sa vie à devenir Elvis ou Molière, une fois mort, on n'est plus qu'un souvenir. Et une fois morts ceux qui se souvenaient, on devient quoi au juste ? Un nom propre dans *Le Petit Robert* ? C'est quand même mieux que de se retrouver dans le dictionnaire des synonymes, non ?

La vie au firmament

Même si je ne suis pas du tout préoccupé par la mort, la grande question demeure : « Existe-t-il une vie après la mort ? » J'espère que non, car c'est déjà assez fatigant de mourir et de se faire enterrer ; s'il faut recommencer tout de suite après, quel paquet de problèmes.

Et si, par malheur, l'éternité existe, quel âge a-t-on une fois rendu au ciel ? L'âge de notre mort ? Quelqu'un qui meurt à l'âge de six mois va-t-il passer toute l'éternité en couches ? Et surtout, qui va le changer pendant toute l'éternité ? Dans le même ordre d'idées : quelqu'un qui meurt écrabouillé par un train va-t-il passer l'éternité cul-de-jatte ou défiguré ? Selon les experts en catéchisme, seule notre âme survit. Comment mon gendre Réjean va-t-il faire alors ?

Autre angoisse : est-ce qu'on passe vraiment *toute* l'éternité (des milliards d'années, 24 heures par jour) à chanter des chants religieux à Dieu ? Chanter éternellement et sans arrêt *Le Seigneur est mon berger* m'apparaît, sans vouloir Lui manquer de respect, un petit peu ennuyeux, tout comme jaser deux mille ans avec le frère André ou le colonel Sanders. Et tous les célèbres à qui il faut dire bonjour : Jacques Cartier, Louis XIV, Pasteur, le curé d'Ars, Karl Marx (il doit faire rire de lui de ce temps-là), Gengis Khan... Qu'est-ce que je vais lui dire à Gengis, moi ? Félicitations pour vos beaux massacres ?

Autre question : y a-t-il des animaux au ciel ? Et si oui, comment faire alors pour aller à la chasse si les chevreuils ou les dorés ne meurent plus ? Avez-vous déjà essayé de faire cuire une truite éternelle ? Et les maringouins ? Sont-ils immortels eux autres aussi ? Imaginez un maringouin qui vous pique le cou pendant cinq cent mille ans. Ça doit tomber sur les nerfs à un moment donné.

Autre question qui me hurle aux oreilles : qu'arrive-t-il à ceux qui sont veufs ou qui ont eu plusieurs concubines ? Se retrouvent-ils avec leur première ou leur deuxième femme, une fois au paradis ? La première femme a-t-elle priorité sur la deuxième ? Sommes-nous tous polygames, rendus là ?

Ces questionnements expriment excessivement bien l'absurde de mon angoisse métaphysique, mais je pense que se poser trop de questions sur l'au-delà ou l'en dessous ne fait que nous divertir des vraies questions de la vie, à savoir : Combien dois-je à l'impôt ? Rénald et Lison vont-ils venir souper ce soir ? Et surtout, vont-ils continuer à le faire une fois au paradis ?

P.-S : Mon désir ultime serait malgré tout d'accéder à la vie éternelle. Advenant le cas où cette vie éternelle n'existerait pas dans la religion catholique, je serais disposé à vivre mon éternité dans n'importe quel autre paradis, fût-il bouddhiste, hébreu, raélien, peu m'importe. Je serais même prêt à me réincarner en cendrier si nécessaire. Je vous demanderais donc, au cas où, de ne pas écraser vos cigares ou vos cigarettes dans le cendrier de la cuisine après mon décès.

ÉPILOGUE

C'est ici, malheureusement ou heureusement, que se termine cet ouvrage. J'ose croire que ces quelques propos auront réussi à calmer l'angoisse métaphysique de certains paquets de nerfs et à les convaincre de la futilité de la pensée face à la mort et surtout face à la grippe. Car il faut bien se l'avouer, même si plusieurs milliards d'humains ont défilé sur la terre à ce jour, très peu ont réussi à devenir immortels, à part peut-être Elvis qui vivrait à Hawaii sous le pseudonyme d'Elfung Preswo et gagnerait sa vie en faisant du taxi.

De toute manière, un seul immortel sur des dizaines de milliards de mortels, il n'y a pas de quoi crier victoire ou organiser un tournoi de poches, non ?

L'important, comme disait l'autre, ce n'est pas de mourir mais de mourir heureux.

Bonne chance, tout le monde.

DOCUMENT-SOUVENIR

Lettre d'invitation à Moman (Jaqueline Bélair)

Montréal, 12 ou 13 mai 1953

Mlle Jaqueline Bélair,

Chère Jaqueline, je n'irai pas par quatre chemins.

Je vous ai aperçu le minois samedi dernier lors de la sauterie organisée chez Paul Gauthier, alias Pogo. Vos yeux bleus, ou bruns ? l'éclat de votre face, vos courbes accélérées : tout en vous a excité ma côte d'Adam, pour rester dans les limites de la politesse.

Pour toutes ces raisons, je vous fais l'honneur de vous inviter samedi en 15 à joindre vos pieds aux miens pour la soirée de danse sociale qui aura lieu au sous-sol de l'église paroissiale. J'ai eu ouï-dire que monsieur le curé fera une démonstration de twist et de slow légal.

Je porterai à nouveau la barbe et je vous promets, par affidavit ci-inclus, de ne pas abuser de ce que, même les yeux fermés, je n'ose imaginer que lors de notre nuit de noces. Pour l'instant, donc, ce n'est pas votre main que je sollicite, mais votre pied...

Si jamais vous préférez m'accorder un refus, auriez-vous l'obligeance de changer le début de la présente, d'inscrire Chère Yolande à la place de Chère Jaqueline et d'envoyer le tout au soin de Yolande Bruchési, 641, 8e Avenue, Montréal-Nord ?

Juste à vous,

Aimé

Table

OUVRAGE RÉALISÉ PAR
LUC JACQUES, TYPOGRAPHE
ACHEVÉ D'IMPRIMER
EN NOVEMBRE 2000
SUR LES PRESSES DE
MARC VEILLEUX IMPRIMEUR
BOUCHERVILLE
POUR LE COMPTE DE
LEMÉAC ÉDITEUR, MONTRÉAL

DÉPÔT LÉGAL
1re ÉDITION : 3e TRIMESTRE 2000
(ÉD. 01 / IMP. 03)